D'UN CHEVAL L'AUTRE

BARTABAS

D'UN CHEVAL L'AUTRE

GALLIMARD

L'Éternel Dieu forma de la terre tous les animaux des champs et tous les oiseaux du ciel, et il les fit venir vers l'homme, pour voir comment il les appellerait et afin que tout être vivant portât le nom que lui donnerait l'homme.

Genèse, 2, 19

C'est l'aube... enfin ! Dans le barn, je les entends tout autour. Ils s'étirent un à un, lâchent des soupirs résignés. Ça tousse et pète comme une chambrée qui s'éveille. Dehors, le chant des oiseaux, timide, par intermittence.

Il est allongé là, nu sur les copeaux, tout éteint, sa tête sur mes genoux, mes doigts sans vie sur son chanfrein et son œil qui ne me voit plus. Il est parti... Encore un, parti... Ils sont tous partis, comme on s'endort, sans peur... Et moi je reste.

Encore un peu et je m'en irai, et la mémoire avec.

Allez ! Il faut dire... Les dire... Tous. Les dire pour que le temps n'avale pas leurs noms, en découdre avec ma mémoire, réveiller ce champ de bataille, ce charnier que les jours absorbent.

Je dois les faire revenir en moi, revivre seul à seul, pas à pas ce que nous avons vécu, pour qu'ils se dressent à nouveau, qu'ils dansent encore un peu. Un carrousel de morts-vivants... Le dernier tour de piste.

« Musique, lumière ! »

LE PETIT CHEVAL DE LA GROTTE CHAUVET

L'origine du monde

Nous descendons à pas de sherpa jusqu'au fond de la grotte. Ici le temps n'a plus de prise, plus d'échelle sur laquelle s'appuyer. Dans la pénombre, l'odeur sans odeur de la pierre, l'odeur de la nuit des âges, une odeur sans repères, l'anesthésie avant le choc. Au détour d'un renfoncement, ou d'une protubérance, apparaissent ici et là un félin, un bouquetin, deux rhinocéros. Ils surgissent au gré des excavations de la paroi, comme si la forme de la roche avait inspiré le choix de l'animal.

Et soudain, l'invraisemblable. Un bestiaire. Une fresque immense couvrant tout un pan inversé de la grotte. Tigres des neiges, rhinocéros, mammouths, bouquetins, ils sont tous là, en mouvement, sauvages, vivants. Il y a aussi ces trois félins ; la ligne de leur dos épousant les arêtes de la pierre semble à l'origine de la composition de l'ensemble.

D'avoir passé tant d'heures à observer les chevaux pour tenter de les comprendre, j'imagine la patience qu'il a fallu à l'homme pour simplement approcher ces animaux ombrageux. Saisir l'ondulation de leur colonne, avant qu'ils ne disparaissent déjà. La fascination qui a dû être la sienne en découvrant ces espèces, si proches et si lointaines. La peur qu'il a dû vaincre pour les observer de si près et pouvoir les décrire avec tant de justesse.

Sans doute l'animal fut-il à l'origine de la prise de conscience par l'homme qu'il devenait un homme. En faisant surgir de la roche ce bestiaire saisissant, il découvre qu'il peut représenter son émotion, la penser et créer.

En bas de la fresque, dans un renfoncement, il y a un petit cheval tracé avec les doigts sur la glaise encore fraîche. Il me regarde de face et semble sorti de l'inconscient de celui qui l'a croqué il y a tout juste trente-cinq mille ans.

L'enfant de cinq ans que j'ai été a dû lui aussi vaincre sa peur devant le monstre de six cents kilos qu'on appelait cheval. Une peur née de la fascination qu'exerçait sur moi l'animal et que, pour des raisons que j'ignore, je me suis dit qu'il fallait surmonter. Oser aller à la rencontre des êtres différents comme de ses semblables fut la première leçon qu'il m'enseigna.

Si faire un pas vers eux fut pour moi un acte fondateur, les chevaux furent par la suite l'encre avec laquelle j'ai écrit mon histoire, celle des Zingaros. Une encre délébile, qui s'efface avec eux ; les aventures de théâtre ne sont-elles pas les premières à disparaître de la mémoire des hommes ?

Restent nos sensations, plus prégnantes ; je les porte encore d'un cheval l'autre.

J'ai vu parfois, dans le regard du cheval, la beauté inhumaine du monde avant le passage des hommes.

HIDALGO

L'école buissonnière

— Gaffe à toi mon gars ! s'écrie le driver en sautant prestement sur le siège de son sulky, alors que son cheval s'élance au trot, projetant à terre mes dix-neuf ans.

Le coup passa si près que le chapeau tomba
Et que le cheval fit un écart en arrière.
« Donne-lui tout de même à boire », dit mon père.

Pourquoi cette strophe de Victor Hugo me traverse-t-elle l'esprit, juste maintenant, le cul par terre, en regardant s'éloigner l'attelage trottinant ? Peut-être est-ce le seul fragment qu'il me reste en mémoire d'un bac péniblement extorqué lors du rattrapage de septembre, à cause de, ou grâce à, la brutale rencontre d'un camion et de ma mobylette.

Ce bac acquis par miracle fut une délivrance, suivie d'une amnésie libératrice – mais là, je la revois, la scène, comme si j'y étais. Dans cette classe du lycée Paul-Doumer de Courbevoie, je m'étais levé et avais déclaré tout de go au professeur médusé que ce Victor Hugo ne connaissait rien aux chevaux car, non, il est impossible à un cheval de faire un écart en arrière !

Il est six heures trente ce matin de janvier et me voilà le cul mouillé, traversant la cour du centre d'entraînement de Grosbois. Ça s'affaire autour des chevaux, machines à trotter aux naseaux dilatés et qui fument de partout. Ça sent l'alcool camphré et la sueur, à grands coups d'eau on rince bêtes et sulkys.

— Alfred ? Il est au bureau.

On me montre du doigt une porte entrouverte au fond de la cour.

Le bureau, une pièce vide d'âme ; un évier et une machine à café, quelques tasses, une boîte de sucres et, sur le mur, des photos de trotteurs passant en vainqueurs le poteau d'arrivée, tous casaque grise, toque et brassard jaunes. Enfin, le bruit d'une chasse d'eau, un pet sonore et voilà une porte qui s'ouvre.

Face à moi, rajustant son pantalon tant bien que mal sous sa bedaine, monsieur Alfred Lefevre, l'homme aux mille chevaux, le plus gros maquignon de France.

— Bonjour jeune homme, vous venez pour le cheval ?

— Hidalgo... Oui.

— Vous avez l'argent ?

Je lui tends mon enveloppe, qu'il ouvre négligemment.

— On avait dit combien déjà ?

— Mille deux cents francs, m'sieur.

— C'est un bon cheval, vous savez.

Tout en comptant, il sépare les billets en trois petites liasses qu'il plie en deux et glisse dans un imposant portefeuille sorti de la poche arrière de son pantalon. Après avoir remis le cuir en place, il me tend la main, une énorme main que je m'empresse de serrer et qui, à ma grande surprise, ne manque pas de douceur.

Cette poignée de main, je m'en souviens encore.

— Le cheval est à vous, jeune homme. Je préviens la SEP[1], vous pourrez le récupérer demain.

Voilà, je viens d'acheter mon premier cheval !

Jamais jusqu'alors je n'avais attaché d'importance à la possession d'un cheval. Pas les moyens. Pour moi, l'animal que je montais ou soignais était le mien, et peu importait son véritable propriétaire. C'était d'abord un nom. Un nom sur une fiche de carton disposé face au mien sur un tableau et que je découvrais à l'aube, ma selle sous le bras, dans le pigeonnier de la célèbre écurie du maître entraîneur André Adele. Un nom parmi presque deux cents autres, répartis en trois cours à l'entrée de Maisons-Laffitte, et qui n'étaient pas affichés sur les portes.

Une fois son box trouvé, j'allais me présenter à lui, le bouchonner en tentant d'évaluer son caractère. Après lui avoir curé les pieds, je le sellais et, une fois dans la cour, on me hissait sur son dos. Alors là, oui, c'était bien mon cheval, le mien pour un matin au moins, mon *guy* !, celui que j'allais « galoper » et « sauter » au premier lot sur les pistes d'Achères. Tous ces pur-sang qui m'étaient attribués le matin comme en course n'étaient pour moi que des sensations, sensations de vitesse, de puissance et d'agilité ; je ne connaissais d'eux que la joie d'aller jusqu'au poteau.

Mais là, maintenant, c'est une autre histoire, l'histoire de ma vie. Partir à l'aventure sur les routes avec un cheval dans ses bagages, c'est d'un coup la prendre, la vie, à bras-le-corps, avec son cortège de folies, d'inconnu, mais aussi d'angoisses et de responsabilités.

1. Société d'équitation de Paris.

Je viens d'adopter un enfant de six cents kilos : ce solide animal aux origines plus ou moins espagnoles, à la robe isabelle et au regard si doux se nomme Hidalgo !

Hidalgo, un nom prédestiné pour colporter la genèse d'une vie don quichottesque.

Caravane attelée, permis poids lourd en poche, j'embarque mon destrier dans un camion de fortune, et pars rejoindre mes compagnons d'infortune, dans un village dont je ne veux pas me rappeler le nom...

*

Il faut au poulain trois minutes pour se tenir sur ses jambes. Un homme, lui, parvient à peine à marcher à un an passé. Du haut de ses dix ans, c'est lui le maître cheval qui prend en charge mon débourrage.

Il me fait comprendre ses peurs, la brutale exigence de son corps massif et pourtant si fragile. J'apprends à trouver sa nourriture, à courir les scieries à la recherche de copeaux pour l'héberger dans les règles, à le soigner, à le conduire partout sans crainte, à ne dormir que d'un œil, à redouter la plainte qui m'appelle, celle qui me fait bondir la nuit hors de ma caravane, le sang d'angoisse et le nœud au ventre.

Oui, je dois respecter ses horaires et ses humeurs, devancer ses craintes pour pouvoir les apaiser d'abord, observer, anticiper ; il m'apprend à penser cheval. Et puis, il me faut à mon tour l'initier à son nouveau métier, nous bâtir un répertoire.

C'est un apprentissage par effraction. Nous devenons des braqueurs d'espaces publics ; les parcs et leurs pelouses immaculées, les terrains de foot de village ou les boulodromes en tapissette, tous sont nos aires de jeu, violées en catimini, sous le regard bienveillant et curieux des passants, puis sous la vindicte des cons qui en général précèdent l'arrivée de la force publique !

Fuite au galop sans pourparlers. Battre en retraite, toujours, mais en gagnant chaque fois un peu de ce qui n'appartiendra qu'à nous. Nous nous construisons à la Bonnie and Clyde, sans calcul ni limite, à corps perdu.

Ce soir, dans le calme d'une halte, bercé par le chant des grenouilles, devant notre convoi installé pour la nuit, je le regarde décapiter goulûment l'herbe qui s'offre à lui. Cette vision bucolique apaise la tempête qui m'agite à l'intérieur. Parfois, il s'interrompt, relève la tête et me fixe, résigné. Il y a dans son regard de la compassion, celle des chevaux qui voient les pauvres hommes aller d'une comédie à l'autre.

⋆

Nous voici maintenant, d'un même élan tonitruant, déboulant place de l'Horloge. Éclairs sur le pavé. Debout sur son galop, crête au vent et lèvres noires, j'éructe en « scovatch », un poulet égorgé en étendard. Le maître des chevaux, le maître des rats et leurs complices s'inventent un dialecte et assènent leur provocation amoureuse à un public médusé. Parades de légende pour un festival d'Avignon alors à son zénith.

Il y avait tant de rage, tant d'amour à cracher ainsi à la face de ce que nous pensions être le monde.

« Moi je sais qui je suis », dit Don Quichotte.

⋆

Hidalgo fut le cheval de la préhistoire, celle du cirque Aligre, il a fait et vu naître Bartabas le Furieux. Ce nom d'ailleurs, ce nom de guerre, je me le suis tatoué pour la vie, et désormais il en sera de même pour celui de mes compagnons sabotés. Tous je les nommerai.

Je suis Bartabas le Furieux,
l'homme qui à cheval
va mesurer le monde.

ZINGARO

La naissance

Je ne suis pas à la recherche d'amis, mais de compagnons, des compagnons pour tracer la route que je me suis fixée, pour maintenir le cap dans les embruns de la vie, pensé-je en coupant le contact de mon Berliet, qui laisse échapper un dernier râle de son long nez fumant.

Depuis la banlieue de Bruxelles, il nous a valeureusement transportés, mon nouveau passager et moi, jusqu'à Aigues-Vives, petit village perché à cheval entre Nîmes et Montpellier, un périple ! En entendant le vrombissement de notre convoi résonner dans les rues du village, ils ont accouru de derrière l'église, où nous avons installé notre campement ; ultime halte avant le départ pour l'Espagne promise. Igor, le bel Igor, Branlotin la Désespérance, Nigloo, Cascabelle, et même Taillefert le chien et l'Amiral son fils. Tous ont dans leur regard comme une promesse d'avenir, une impatience pleine de curiosité. Tous sont là pour accueillir le divin enfant au cul du camion ! Depuis la caisse de bois cloutée on l'entend cogner, cogner les trois coups.

À l'ouverture du pont arrière, comme un lever de rideau, devant son public il apparaît debout sur son lit de paille, noir, énorme, pas fini, hésitant à descendre du haut de ses presque douze mois. D'un bond, le corps tremblé, il s'élance, les quatre sabots à l'aventure, pour atterrir lourdement au sol, bousculant l'assistance ébahie à laquelle se sont joints les curieux du village. De plain-pied au milieu de ses courtisans, le voilà à présent comme un seigneur ! Il en impose par son regard conquérant, son port de tête altier et dominateur, il est pataud mais ne manque pas de force pour un nouveau-né. Tous le détaillent en silence, comme hypnotisés, quand d'un seul élan, dans une envie soudaine de se déployer, il me lève du sol avec une facilité déconcertante. Vent de panique... On s'agite... Il s'impatiente... Autour, on tente de l'apaiser. Où aller ? Tous pris de court. La bête se chauffe et Taillefert d'aboyer, et l'Amiral d'en rajouter... Vent de panique.

— Ta gueule, Taillefert !

— Gayo, l'Amiral !

— Aux arènes, con ! Il faut l'amener aux arènes ! commande, avec l'accent, Pattus le menuisier, personnalité éminente du village et grand amateur de bouvine.

Et voilà que toute la petite troupe se met en branle, tentant tant bien que mal de contenir la force brutale du gamin impétueux, encadré par Taillefert et l'Amiral, surexcités comme des chiens de berger regroupant un troupeau de moutons affolés. Nous traversons ainsi le village d'Aigues-Vives en courant jusqu'à l'allée de platanes qui mène aux arènes municipales.

— Oh con ! La clef... J'ai oublié la clef, con ! Elle doit être à la mairie... J'y vais, con ! Attendez là.

Mais le monstre noir émoustillé par cette cavalcade ne tient plus en place. Il se cabre et lance ses sabots ailés de frison vers le ciel, tentant de boxer les nuages sous les hurlements des chiens en transe. Devant l'urgence de la situation,

Igor, d'un coup de talon bien appuyé par ses croquenots de montagne, fait sauter le cadenas et libère la porte du toril. N'en pouvant plus, à bout de corde, je lâche l'animal qui s'élance au galop en décochant de puissants coups de cul libérateurs. Enfin, il s'arrête au centre de l'arène et, comme pris d'une envie pressante, gratte furieusement, tourne sur lui-même et se roule sur le sable blanc, indifférent aux deux clébards qui s'égosillent de le voir au sol.

Il se relève, s'ébroue de toute sa masse, et voilà notre gros bébé noir talqué jusqu'au toupet qui s'élance, oreilles couchées, gueule ouverte vers l'Amiral. Le clebs surpris par l'attaque s'enfuit, la queue entre les jambes. Et c'est au tour de Taillefert de détaler sous la charge du taureau noir au sabot velu. La corrida se prolonge ainsi un moment, le poulain répondant aux deux chiens qui tour à tour le provoquent et s'enfuient sous les « olé » d'un public hilare.

*

Savions-nous alors qu'il venait de nous offrir son plus beau rôle, celui qu'il allait assumer pour longtemps, le rôle du Frison Taureau, le minotaure équin ?

C'est ce soir-là, après avoir copieusement arrosé l'arrivée du nouveau venu, que nous avons décidé dans l'euphorie et à l'unanimité de le baptiser Zingaro. Il endosserait le nom de notre théâtre équestre et musical, premier nommé il donnerait à la troupe sa descendance. Plus tard, tandis que la fête se répandait dans la nuit et que s'épanchaient les cœurs imbibés, je me suis surpris, comme souvent, étrangement silencieux, à ne plus trouver ma place. J'éprouve dans ces moments le besoin de me retirer ; de m'évaporer sans au revoir ni salut. Je suis allé le rejoindre dans son box, je n'ai pas allumé, je me suis glissé dans son antre comme on se glisse sous les draps de l'amante endormie.

Il était couché sur le flanc gauche, je me suis assis près de lui, il a tourné la tête vers moi sans se relever, un peu étonné de me voir là, comme sorti d'un songe. Peut-être rêvait-il de son plat pays, ces plaines vertes et horizontales piquées de boutons rouges à l'infini. Ses yeux étaient grands et doux, son regard si profond, plein de grâce, la grâce de ceux qui n'ont pas encore la parole.

Je me souviens de la manière dont nous étions alors, encore étrangers et pourtant si proches ; ce moment, cette communion, ne ressemblait à rien de connu. Zingaro… Je lui ai chuchoté son nom, plusieurs fois. Zingaro… Zingaro, mon fils…

Cette nuit-là, nous avons fait un pacte, un pacte pour la vie : j'allais contaminer son animalité et il allait me permettre d'exister parmi les hommes. Aux humains de mon espèce, nous allions nous révéler. Pour la vie.

Que mon cheval aussi
soit insolent et bouscule
les convenances.

CHAPARRO

Purgatoire

Depuis six heures ce matin, assis sur la barrière de fer, je les observe.

Ils sont bais, gris, alezans, isabelle, longs, courts, dodus, ou malingres, ils ont presque tous les crins coupés et portent un numéro sur la croupe, un autre sur l'épaule, taillés au ciseau à même le poil. D'origine inconnue, ils sont d'ici et d'ailleurs, d'Espagne ou de Pologne aussi, des bâtards de la vie. Ils sont arrivés dans des wagons de bois brun sans fenêtres, débarqués directement sur le quai d'à côté. Dans la grande stabulation couverte, à l'abri du soleil, les juments sont séparées des mâles. Au sol, un mélange de tourbe et de crottin. Dans les râteliers, c'est foin à volonté.

Paisibles et résignés, ils sont presque immobiles. Chacun semble avoir trouvé sa place dans une fausse indifférence. On dirait qu'ils se connaissent, se reconnaissent, peut-être se racontent-ils en silence.

Et puis il y a ce petit cheval rouan qui porte encore crinière. Poitrail bien éclaté, il paraît sain de membres, un peu stressé, il va et vient, interroge l'un et l'autre, ne trouvant pas sa place. Il est vif et son regard est franc.

— Et celui-là ?

— C'est un espagnol… Mon père l'a rentré de Gérone hier.

— Il a quel âge ?

Il lui pose une main lourde sur le chanfrein, juste au-dessus des naseaux et, avec deux doigts, lui ouvre la bouche.

— Dix ou douze ans… Mais il a encore du gaz !

— J'vois ça.

— Il s'appelle Chaparro.

— Comment tu le sais ?

— C'est mon père… Ses chevaux n'ont jamais de papiers, alors il leur donne des noms espagnols. Ça marque bien pour le commerce !

Lui c'est Christophe ; son père, Louis Herald, important maquignon de Nîmes, fait commerce de chevaux pour la viande.

C'est lui qui numérote tous les chevaux en partance ; il m'avait appris comment tracer les motifs que les gitans de Badajoz dessinent sur la croupe et la queue de leurs mules, en plaçant la lame des ciseaux perpendiculairement aux épis. Nous étions devenus amis et son père l'avait enfin autorisé à sortir un cheval qui me plairait.

Temps révolu, où le sentiment côtoyait la barbarie et où il était encore possible d'exfiltrer un condamné à mort.

— C'est lui, là, que je veux… Chaparro !

— O.K., tu l'auras au prix du couteau. Viens ce soir. Avec ton camion, passe par le quai derrière.

Il parle bas et se la joue mystérieux.

— Pour tes queues, il faut aller les choisir dans l'échaudoir. Suis-moi.

Une fois passées les deux grandes portes de fer restées entrouvertes, nous longeons les murs en silence, l'un derrière l'autre, comme des voleurs dans une église.

Un homme amène un cheval au bout de sa corde, il porte des bottes de caoutchouc. Après avoir salué mon guide d'un mouvement du menton, il jette sur moi un regard hostile. Son cheval, lui, ne semble pas comprendre, il est juste effrayé par le jet d'eau qui balaie le sol. Presque sans un mot, l'homme lui maintient la tête à l'aide de son licol de toile, un autre lui pose le pistolet entre les yeux. En guise de détonation, un claquement sec et mat, la tige de fer lui transperce le front d'un trait. Il fait un bond en repliant sous lui les deux antérieurs, ses postérieurs se ploient au niveau des jarrets. Il retombe lourdement au sol… Encore un spasme, et tout son corps se détend.

Levé par les postérieurs à l'aide d'une chaîne motorisée, à peine sa tête quitte le sol qu'on lui tranche la gorge ; le sang s'écoule, lourd et chaud, dans de grandes bassines que l'on déverse dans un tonneau de plastique jaune.

Commence alors le dépeçage.

D'un geste précis, quotidien, un autre homme fend la peau de bas en haut, libérant les deux postérieurs crochetés au plafond, qui s'écartent d'un coup. La peau nacrée se déploie comme une voile au-dessus de la carcasse recouverte de graisse claire… On dirait un vaisseau fantôme !

Une fois vidé de ses tripes et boyaux, le corps écorché est sectionné en deux à coups de hache, puis dirigé vers les chambres froides.

Ce rituel sacrificiel joué sans emphase ni pathos me fascine, et ces hommes en blouse blanche maculée de sang, la tête couverte de leur calot, avec leurs couteaux à la ceinture et qui, les manches retroussées, lavent au jet leurs avant-bras, ne manquent pas de noblesse. Ils me rappellent les photos jaunies de mon grand-père, chirurgien des Hôpitaux de Paris posant avec tout son service. Mêmes blouses et toques blanches, tous en rang bras croisés, clope au bec.

Quant à ces carcasses suspendues sur les crochets roulants, formes abstraites, striées de noir, ombrées de violet, de rouge carmin mâtiné d'aplats mauves, elles m'émeuvent. Je me retrouverai, bien plus tard, dans les tableaux de Bacon.

Nous arrivons dans l'échaudoir, des peaux sont étendues au sol, poil contre terre, elles sont lavées puis pliées comme des draps qu'on empile sur des palettes. Seules dépassent les têtes, cagoules vides de sens, sans forme ni regard et qui pendouillent des naseaux.

Devant moi, deux grandes caisses de bois pleines de queues ; elles sont noires ou beiges ou grises, pêle-mêle, encore tachées de sang et d'urine.

— Tu peux choisir parmi celles-là… C'est celles des juments.

En effet, elles ont peu de valeur ; impropres à la fabrication d'archets car trop cassantes d'avoir été leur vie durant au contact de l'urine. Alors que celles des mâles, après avoir joué avec les mouches, feront chanter les notes en guise de requiem.

⋆

Chaparro fut un petit cheval généreux et volontaire. Avec lui nous avons vite appris ; moi à longer un cheval de voltige, lui à le devenir et ses cavaliers à découvrir sur son dos les promesses de l'à-terre-à-cheval.

Lors des spectacles du *Cabaret équestre*, grelots aux paturons, ses voltiges avaient des airs de samba. Il avait l'enthousiasme communicatif de ceux qui ont côtoyé la mort et sont reconnaissants à la vie.

Ce que nous vivons à Zingaro,
on ne le voit pas dans les films,
on ne le lit pas dans les livres.
Ici, pas de rôles ni de romances,
personne ne se déguise
en autre chose que lui-même.
Ce sont de vraies gens et de vraies bêtes
qui se jouent de la vie.

DOLACI

Fouler le sable des arènes

Dans un silence de cathédrale, au sortir de l'obscurité, nous nous élançons de pied ferme au reculer sur le grand cercle de nos passions. Nous glissons en arrière, en cadence, sans précipiter, le rein fléchi, tout en souplesse.

Dans ma main gauche, qui tient les deux rênes, je sens sa bouche fondre entre mes doigts. Le javelot dans ma main droite, tendu devant moi, désigne ce qui est déjà loin. Je l'avais échangé des années auparavant contre une vieille guitare, à la braderie de Courbevoie. Avec lui je me retrouve.

⋆

Madrid. Nous squattions là, à bord de mon camion, sur le parking de Las Ventas. Mes deux chevaux et moi, misérables *maletillas*, complotions un coup d'éclat ; embusqués dans le *patio de caballos* nous jaillirions dans la lumière ; *espontáneo* à cheval face au taureau nous forcerions les portes d'un monde qui se refusait à nous !

Mais quand vint l'appel, apparurent aussitôt les vertiges de l'angoisse.

La peur d'échouer peu à peu étouffa mon rêve. Dans

l'expectative, j'entendais derrière l'aéroport les grands oiseaux de fer qui mugissaient jour et nuit. À l'entrée de Barajas je m'étais posé, dresseur mercenaire pour les gitans du village ; j'apprenais l'espagnol.

La nuit, cloîtré, je contemplais mon arbre par la fenêtre de ma caravane. À son pied ils avaient enterré un cheval de cascade. Ce matin-là, ma chienne Guapa creusait furieusement. Un sabot émergea. Je décidai de renoncer et de m'en remettre à mon destin.

Cascabelle, Guapa et moi remontâmes vers Nîmes.

— Bartabas, achète-le-moi… Toi qui rêvais de toréer, tu le comprendras. Moi je n'en peux plus.

Christophe Yonnet, *rejoneador* en déroute, me proposa son cheval avant de s'évader de la vie.

*

Aussi précis et tranchant qu'une note de cymbalum, il s'élance au galop, jarrets ployés et tête immobile. Il a le galop souple et rond, limpide comme un choral de Bach. Je l'accompagne de mes hanches. Il est celui que j'attendais.

Lusitanien croisé, très près du sang, c'est le cheval de mes rêves. Une tête intelligente, une encolure distinguée, une arrière-main et des cuisses de collection, il a la souplesse du lusitanien et le toucher aérien du pur-sang anglais. C'est un cheval de caractère, fin et réactif; il est savant mais ne pardonne ni les demandes imprécises ni celles exigées avec trop d'insistance. Il a été à bonne école, celle du *rejoneo*, où l'équilibre et l'impulsion sont une nécessité et non un prétexte à la rhétorique.

Il est mon maître d'apprentissage. Je lui dois la découverte des sensations justes, celles qui, inoubliables, me serviront de guide durant toute ma vie équestre.

Le cymbalum développe ses mélopées. Toujours à l'écoute, il assoit son galop, en cadence je l'accueille au creux de mes reins, j'instruis mes vertèbres. Nous sommes faits l'un pour l'autre.

★

La piste au centre, sous les étoiles, les caravanes tout autour, les dindons dans le *callejón*, les chevaux sous les arcades, la sellerie dans la chapelle, nous campions depuis l'hiver dans les arènes de Nîmes – notre HLM romain.

Chaque après-midi, le guide touristique accompagné de son troupeau de Japonais pouvait m'apercevoir, encore tout ensiesté, me soulager sur la roue de ma caravane. Il s'exclamait alors, nous désignant de la main :

— Trois mille ans pour en arriver là !

Sa voix grave portait haut et les dindons en réponse gloussaient en chœur, un opéra.

Endormi la journée comme les bons chevaux, Dolaci s'animait à l'approche des préparatifs. Ce soir-là, debout sur mon tabouret, je lui tressais les crins pour y poser ses rubans de spectacle quand sortit de la radio à côté de son box l'ouverture de *Carmen*. En l'entendant, il releva la tête, pointa les oreilles et tira violemment au renard.

Il tremblait de tout son être et de son corps en eau. Jamais encore je n'avais vu un cheval dans cet état. Je me suis précipité pour éteindre le poste. Il lui a fallu un long moment, beaucoup de caresses et de murmures, pour retrouver son calme. Ce mouvement célébrissime était invariablement joué lors du *paseo* de toutes les corridas à cheval du sud de la France.

« Soigner, c'est écouter ce que le malade cherche à dire avec son corps », m'expliqua le docteur Giniaux.

Pour sceller notre alliance, j'ai dû interroger en silence la mémoire de son corps et peu à peu construire la confiance, ce chemin qui mène à la sérénité. Le cercle de sable où nous sommes désormais ne recèle plus son cauchemar, pas plus que mon rêve !

⋆

Autour de la *garrocha* de fortune pointée au creux de ma paume, il s'enroule au galop sur une volte de son propre diamètre. Sans sortir de la main, il se double et enchaîne les pirouettes sur le cercle sans jamais altérer sa partition ; contrôle, équilibre, impulsion, je suis Noureev lancé dans un manège sans fin de jetés et piqués en dedans.

Je suis transporté. Les notes s'échappent en cascade. Après avoir toréé le vide, le voilà au terre à terre, ses antérieurs frappent en cadence à l'unisson. Je l'accompagne du bassin, et mon bras armé cite l'ombre du taureau, celui qu'il a combattu et qui un jour l'a touché au cœur, celui que je n'ai jamais pu affronter.

⋆

Tu te nommes Dolaci et tu m'as appris à faire mes gammes.

Avec toi, j'ai compris que dresser un cheval ne peut se résumer à la compréhension de sa locomotion et à la résolution de ses résistances physiques. Je dois aussi sonder son âme.

Il faudra beaucoup de sueur et d'effort pour fouler à cheval la gloire de nos ancêtres.

MICHA FIGA

L'apparition

À l'heure où les Espagnols entament leur deuxième nuit, sous un soleil de plomb, je laisse mon camion à l'entrée du village et je vais à pied, affûté comme un cochon truffier, à la recherche de l'animal adéquat pour s'initier à la jonglerie à cheval.

Depuis le matin tôt je visite les maquignons de ma connaissance et, par le jeu du téléphone valencien, j'ai atterri à Paterna sur la rive gauche du Turia, à la recherche d'une écurie inconnue.

Je longe les murs sous les volets mi-clos quand me parvient un son familier. Un hennissement. Il s'est échappé comme un souffle, presque sous mes pieds. Par le soupirail en contrebas, je distingue une dizaine de chevaux attachés côte à côte, séparés par un bastaing en guise de bat-flanc... Et tout au fond, dans un tableau de Zurbarán, révélé par le prisme oblique du soleil, un cheval illuminé d'or.

Plutôt petit, le dos creux, il lève la tête et son œil noisette teinté d'un reflet vert me déshabille le cœur. À l'appel de ma langue ses oreilles entrent en danse. Avec sa robe lunaire, au fond de cette cave, derrière ces chevaux ternes et gris, il est comme un ange, le destin qui vient à ta rencontre ; pas celui que tu croyais chercher, celui qui t'attendait. Il semble trop frêle pour porter le bel Igor, il n'a rien d'un cheval de voltige, mais je sais déjà que ce sera lui l'élu. Il lance un hennissement vers l'invisible.

Au-dessus, c'est une sorte d'entrepôt agricole, les volets sont clos et la porte à grands battants est condamnée par une planche clouée en travers. Je frappe à tout hasard. J'appelle. Pas de réponse. Aux alentours ni bar ni commerce, tout est muet. Deux gamins passent en courant.

— *Hola chicos, una pregunta…*

Ils me disent que les chevaux appartiennent à un dénommé Micha Figa, qu'ils ne savent pas où il vit, mais que je pourrai le trouver dans sa boutique calle Recoletos, un peu plus haut, « *la tercera a la izquierda* ».

*

J'y suis.

Calle Recoletos, 18. C'est un primeur, fermé pour cause de sieste.

J'avise un troquet presque en face. Entrouvert, silencieux ; dans la pénombre, une machine à sous en sommeil. Sur le comptoir, dans un présentoir vitré, quelques *churros* du matin et des *tapas* en attente. Apparaît un petit homme, court sur pattes, la soixantaine, il a le cheveu rare mais bien lissé, le corps cabossé, et porte une chemise à manches courtes soigneusement rangée dans son pantalon remonté jusqu'aux aisselles.

— *Hola, buenas… ¿Que te sirvo?*

— *Una caña por favor.*

Atterrit sur le zinc la première *cerveza* aussitôt accompagnée d'une portion de tortilla. Je pars à la pêche. Oui, c'est bien le susnommé Micha Figa qui tient le primeur d'en face. Il est maraîcher de métier, mais possède quelques chevaux « pour faire le môssieur ». Si je veux le voir, il me faudra attendre dix-sept heures, l'ouverture de son magasin. Il est quatorze heures trente : un peu plus de deux heures à tuer.

*

Deuxième *cerveza con tapas* de poivrons marinés. Derrière le bar, au-dessus des bouteilles d'Anis del Mono et de Torre Blanca, une photo du jeune El Soro recevant l'alternative des mains d'El Niño de la Capea dans les arènes de Valencia. C'était il y a trois ans, nous étions là pendant les *fallas* avec le cirque Aligre, et j'avais pu assister à l'événement. En guise de préambule, nous devisons sur le *quite* mémorable qu'El Niño de la Capea servit au taureau d'alternative du Valencien ; une série de *chicuelinas* templées avec suavité, qui fit pâlir d'envie son jeune confrère et calma tous les Valenciens venus fêter l'enfant du pays.

*

¡Olé! Troisième *cerveza.*

Il se nomme Pepe et me tend un anchois frais piqué d'une banderille de bois fin. Lui aussi est un fan de Dámaso González ; au fond de la salle, la photo du « Fakir d'Albacete » face à un monstre fauve de Victorino Martín ; il a des airs de Belmonte ! Sur les murs, c'est un véritable jeu de piste.

Jusqu'à cette très vieille photo sépia de 1936. En pleine guerre civile, dans les arènes de Valencia, Domingo Ortega brandit les deux oreilles, la queue et la patte de son taureau lors d'une corrida au bénéfice des milices populaires.

⋆

¡Brindis a los toros! Quatrième *cerveza con jamón.*

Le *rejoneo*, c'est pas son truc, « pas assez de drame, trop de cirque ! et puis tous ces *señoritos* à cheval… » Mais il aime les concours d'arrastre et ces puissants chevaux à double croupe qui, dans les dunes de sable, arrachent de lourdes charges en faisant sonner leurs grelots.

⋆

¡A los caballos! Cinquième *cerveza*, et ces deux olives fourrées qui m'observent… Encore une heure à espérer… Espérer dénicher un cheval au débotté dans des lieux improbables. Il n'y a qu'en Espagne… chez un ferrailleur, derrière une usine de banlieue ou dans le garage d'un particulier. Ici, le cheval est l'emblème de la réussite du parvenu, il est aussi monnaie d'échange pour les dettes impayées. Sans compter les chevaux portugais exfiltrés en catastrophe pendant la révolution des Œillets ; parmi ces migrants involontaires au parcours chaotique, sans papiers mais au fer prestigieux, on pouvait trouver des perles.

⋆

¡Viva la revolución! Sixième *cerveza, con boquerones.*

J'aurais aimé vivre cent ans plus tôt. L'époque où l'on pouvait côtoyer les chevaux comme on croise les voitures aujourd'hui. Un immense marché d'équidés à ciel ouvert.

⋆

Septième *cerveza.*

Pepe est mon ami. Il est veuf. Ses parents sont morts pendant la guerre civile, lui a été torturé par les milices franquistes. Il veut tout savoir de moi, je lui raconte que je fais du cirque.

— *¡¿Ah sí!? Yo también, tengo un número de circo.*

★

Huitième *cerveza.* Il me parie cent pesetas qu'il peut se mordre le cul !

L'homme, plutôt enveloppé, n'a rien d'un contorsionniste – il a les bras courts et les pieds plats ; je ne risque rien.

— *¡Toma!*

Je lui tape la main.

Il passe de l'autre côté du comptoir, ouvre la bouche et d'un coup en extrait toute sa dentition. Avec son dentier complet, il pince le cul de son pantalon !

— *Eres un fenómeno...*

Dix-sept heures, ça ouvre en face. Allez, *la última,* après on ne se connaît plus.

★

Dernière *cerveza. Con queso.*

Au fait, pourquoi ce surnom de Micha Figa, « Moitié de Figue » ?

— *Porque es un roñoso.* Comme il est très radin, s'il te vend cent grammes de figues et que cela dépasse de quelques grammes, il coupe la dernière en deux pour faire le juste prix !

— *Hasta luego amigo.*

— *Adiós. Que tenga suerte.*

*

Première règle de l'acheteur : ne jamais montrer son intérêt pour l'objet désiré. Pour l'amadouer, j'affiche mon admiration pour toute sa cavalerie. Chevaux voleurs, tous en surpoids par manque d'exercice ; avec lui je les détaille un par un. Au final, tous trop chers pour mes modestes moyens.

— Et le petit tout au fond ?

— Celui-là, c'est le cheval de ma fille ! Il n'est pas à vendre.

Encore trop cher pour moi.

Mais l'homme a visiblement les yeux plus gros que le ventre, et ses chevaux trop nombreux sont devenus encombrants. Je tente le tout pour le tout, sors l'oseille et la pose sur la table. Tout ce que j'ai, mais beaucoup moins que ce qu'il demande.

Indignation. Discussion. Hésitation, réflexion… Il me serre la paluche, l'affaire est conclue à regret.

Je décide d'emmener le cheval sur-le-champ, avant qu'il ne change d'avis. Nous voilà marchant dans les rues, en direction du parking où m'attend mon camion ; des gamins excités par l'apparition nous escortent à vélo. C'est le crépuscule, un dernier rayon en contre-jour unit nos ombres, j'emmène mon prince au bout d'une corde et je suis son ange gardien.

Il prendra le nom de Micha Figa.

La magie du spectacle fait oublier que ces créatures pleines de grâce ont aussi un ventre.

Longtemps mes cauchemars ont été faits de l'inquiétude de ne pouvoir les nourrir.

MICHA FIGA

Adopter un mirage

Chacun de nous vit avec un ange, le mien est saboté.

Micha Figa surgit dans un souffle, mû par la seule envie de séduire, il entraîne derrière lui la rémanence de sa robe d'or. Sa simple présence captive toute la salle. Il tombe en arrêt, le port haut ; son regard projeté semble voir l'invisible.

Immobile dans sa nudité d'ambre, il se met à jouer des oreilles, de l'une, de l'autre, des deux, en avant, en arrière. Il récite un poème en morse que les spectateurs en hypnose tentent de déchiffrer.

En point d'orgue de ce scat muet, il les pointe résolument en avant quand arrive, cérémonieux, un mico [1] en livrée qui, la main gantée de blanc, lui présente un boudoir sur un plateau d'argent.

Il le mange avec délicatesse du bout de ses lèvres roses, et suit son servant sous les applaudissements.

*

1. Terme utilisé au cabaret équestre pour les garçons de piste. « Commis » en verlan.

Tout avait pourtant mal commencé... Jamais le voyage pour remonter d'Espagne ne m'avait paru aussi long, une véritable transhumance. Je m'aperçus en arrivant qu'une croquette pour chien s'était logée sous la pédale d'accélérateur, transformant mon camion en veau à roulettes. À la frontière nous avions dû camper deux jours ; les douaniers trouvaient suspect ce petit cheval sans papiers seul dans un camion français échappé des *fallas*.

Enfin arrivés à Nîmes, nous nous sommes mis au travail. Une fois monté, l'animal perdait de sa magie ; faible du dos, il tomba vite boiteux. Le pauvre Micha Figa, d'avoir été gavé de caroubes dans sa cave sans sortir, avait dû faire un début de fourbure. Le basculement de la troisième phalange n'était pas très prononcé, pourtant nous avons dû nous rendre à l'évidence : je m'étais fait arnaquer !

Mais la bête nous avait envoûtés et faisait maintenant partie de la famille, il était hors de question de s'en séparer. Si le bel animal ne pouvait supporter un travail monté plus poussé, qu'à cela ne tienne, il se présenterait nu.

J'ai observé et j'ai écouté, je l'ai laissé m'émouvoir ; hypersensible, il semblait perpétuellement aux aguets et marquait son attention par les oreilles, qu'il animait avec une dextérité peu commune.

Chez les chevaux, les oreilles ne servent pas qu'à écouter ; elles sont le révélateur des humeurs et des pensées. Ce sont elles qui donnent au visage l'expression, elles transmettent le sentiment. Faire parler un acteur avec les oreilles, voilà qui n'est pas naturel, mais un cheval...

Micha Figa fut le premier cheval totalement libre sur la piste de Zingaro. En guise de numéro, il jouait seul sa partition a cappella, et il m'a appris que les animaux ne sont pas inférieurs aux hommes dans l'expression d'eux-mêmes.

*

Après avoir fait les beaux jours des *Cabarets équestres*, il sera la Chimère, jouant sur des airs de clapotis au chat et à la souris avec une jeune Indienne. Face au jeu naturellement expressif du cheval libre, le langage codé du *kuchipudi* ne peut trouver sa place. La danseuse, pour composer avec l'animal, doit retrouver son innocence, recréer ses jeux d'enfant. Au théâtre, l'artifice permet d'approcher le naturel l'espace d'un instant. Le miroir d'eau frémissante qui recouvre la piste ne portera pas longtemps le reflet de cette tendresse déjà oubliée.

Il est présomptueux de croire que les chevaux sont nés pour les hommes, et vain de chercher celui que l'on voudrait parfait. Il me faudra toujours les accepter tels qu'ils sont, les adopter, m'appliquer à faire éclore les trésors qu'ils recèlent et parfois même célébrer leurs défauts. Cette philosophie guidera désormais mon approche des chevaux… et des hommes.

Pour bâtir Zingaro,
il faut penser être irréductible,
il faut croire, vouloir et rêver,
et naître ainsi avec beaucoup de naïveté.
Comme Don Quichotte,
je veux que l'imaginaire soit vrai.

QUIXOTE

Destinée

C'est l'automne. Derrière le colisée arlésien, seul, attaché dans un courant d'air, il ne sait pas qu'il m'attend. Caché à l'ombre d'une arcade, je le contemple : dans les un mètre soixante, noir charbonneux, une balzane blanche au postérieur gauche, il porte sur la cuisse droite le fer d'Ortigão Costa. La corrida terminée, ses congénères ont embarqué dans leur camion ; ils repartiront pour Lisbonne. Lui n'a pas été jugé digne de fouler le sable du *ruedo*, et son cavalier espère bien me le vendre avant la trêve hivernale.

Le *cavaleiro* a perdu de sa superbe, il a quitté son costume de petit marquis en jabot pour le jean et l'anorak, son tricorne pour une casquette. Posté à côté du cheval, il me cherche du regard et montre des signes d'impatience.

Enfin j'apparais, faisant mine de me hâter, et me confonds en excuses de n'avoir pu réunir la totalité de la somme prévue. Quelque peu irrité, mais pressé, il finit par accepter ma nouvelle offre : le cheval âgé seulement de cinq ans ne lui convient pas et il souhaite le voir sortir du circuit tauromachique, pour ne pas avoir à le regretter s'il venait à s'y révéler.

— C'est un cheval *bònn* pour une madame… pour faire la promenade, dit-il comme pour se convaincre dans son français approximatif, dernier vestige de l'aristocratie portugaise.

Le cheval semble avoir compris et prend un air penaud quand je m'approche pour le détacher. Nous nous éloignons tous les deux. Ses pas résonnent sous les arcades alors que le soleil s'incline sur la colline de l'Hauture.

Arrivés au campement, c'est l'émoi général, un concert de hennissements nous accueille. Bien qu'entier, il ne répond pas et me suit en silence. Je l'installe dans son box ; aux yeux de tous, nous sommes déjà en communion.

Cette nuit-là, excité que je suis, je ne peux trouver le sommeil et par trois fois je lui rends visite.

Il me reçoit d'abord avec bienveillance, il a tout mangé, pris possession de son habitat et paraît serein. Je n'en reviens pas, j'ai désormais dans mon écurie un lusitanien d'Ortigão Costa, un des élevages les plus prestigieux du Portugal !

La deuxième fois, animé par le doute, je lui prodigue un pansage en l'auscultant sous toutes les coutures. Ses tendons sont secs et froids, ses pieds sains, sa ligne du dos harmonieuse, son encolure bien orientée. Il a l'épaule profonde et le chanfrein large. Il semble étonné d'être considéré avec autant d'attention.

La troisième fois, n'y tenant plus, selle sur le dos et filet en bouche, nous sortons. Il est mon précieux, mais il me faut le monter pour en découvrir le sens.

Nous allons avec prudence. Mis sommairement en basse école, il est attentif, son pas un peu précipité, son trot quelconque est piqué et manque de rebond. Je lui propose un départ au galop, qu'il a régulier ; bien assis dans un équilibre naturel, les postérieurs viennent sous la masse, libérant l'avant-main. Sa tête reste fixe, les oreilles en point de mire, tout en rondeur. Dans la volte, l'avant-main s'engage franchement dans une courbe que l'arrière-main prolonge. Ce galop nous unit en cadence et je sais, cette nuit-là, qu'il m'emmènera très loin.

C'est mon premier cheval avec papiers, de pure race lusitanienne ; je découvre en ouvrant son carnet qu'il se nomme Quixote ! Le chevalier à la triste figure m'accompagne à distance.

Zingaro prend son envol.
Maintenir le cap,
c’est vivre dans l’angoisse,
celle de la survie.

ZINGARO

Les fondations

Zingaro, mon sang, ma chair, ensemble nous nous sommes appris, nous éduquant l'un l'autre, jusqu'à inventer un langage seulement connu de nous. Ce fut long et laborieux parfois. Tant de maladresse d'abord, de tâtonnements, de vaines tentatives pour se chercher, se comprendre, acquérir tous les gestes qui me fondent aujourd'hui. Nous nous sommes construits petit à petit en marge du voyage, par tous les temps, par tous les lieux, jamais loin des arènes, qu'elles soient de Nîmes ou de Madrid. À toute heure du jour et même de la nuit nous nous sommes donnés, sans nous préserver, comme un premier amour. En ce temps-là les jours n'étaient pas comptés, ils étaient pleins d'écume, mais je sais maintenant que c'est ce temps, ce temps perdu, perdu à jamais, ce temps de l'innocence et non le savoir qu'il engendre qui a permis de faire éclore l'original. Quelque chose qui va bien au-delà de ce que peuvent enseigner les chuchoteurs et autres éthologues à micro-cravate.

Je me suis immergé jusqu'au plus profond de toi-même, j'ai récupéré ton animalité et l'ai faite mienne. De cela nous avons fait sens, nous étions prêts à affronter le monde.

Cheval taureau face au belluaire, dominant dominé, de

ma frustration de n'avoir pu être matador je me suis fait matamore, et le minotaure mangeur d'hommes n'était peut-être qu'un gamin farceur aux sabots ailés.

Tous les soirs, plutôt que de servir un numéro de cirque, il s'agissait d'occuper l'arène comme deux acteurs jouant aux gladiateurs. Moi, plein d'arrogance, de le citer en éructant. Lui, aussitôt, de se lancer à ma poursuite toutes dents dehors. Moi, en panique, de finir ma course affalé sur une table ou sur les genoux des spectateurs en émoi. Lui, triomphant, les deux antérieurs sur la banquette. Moi, en hurlant, de retourner au combat, non sans avoir déposé sur la bouche d'une spectatrice terrifiée le baiser de la mort. Ambiance de bastringue, on entendait claquer des dents. Jouer à se faire peur, jouer avec la peur des autres, jouer à se défier violemment puis me lover dans son corps assis en signe de soumission pour qu'enfin le public entrevoie tout l'amour qu'il avait fallu partager pour en arriver là. Une provocation amoureuse, une complicité qui fait fi des codes et des règles, qui ne repose que sur l'instinct. L'instinct du jeu.

Oui, il est devenu plus qu'un cabot, un véritable acteur. Et son jeu bestial désorientait ceux pour qui les chevaux se montrent bien en place, l'œil à la chambrière, avec de fausses caresses et des sucres en poche.

*

Pendant plus de quinze ans nous avons parcouru le monde, par les routes ou contournant les nuages, du petit village d'Aigues-Vives jusqu'à la Grande Pomme.

Avec les années, le poulain maladroit est devenu un monstre d'étalon, un magnifique frison d'ébène au muscle luisant et à la crinière ondulante. Les deux enfants terribles qui jouaient à la corrida dans le *Cabaret équestre* se sont mués en deux fauves tout en puissance s'affrontant dans l'*Opéra équestre.* Complicité toujours renouvelée, bien plus tard, au temps de *Chimère* où régnant sur le Rajasthan il se contemplait assis sur un reflet d'eau, tandis que moi, accroupi sur l'autre rive, je l'admirais simplement. Enfin ce fut *Éclipse*, où seul en piste, célébré par toute la troupe, il n'avait plus besoin de moi. Le tapis de neige où il se couchait lui rappelait-il le sable blanc des arènes d'Aigues-Vives ?

Plus de trois mille représentations firent de lui le roi des chevaux, sa notoriété s'étendit de Tokyo à New York, elles firent aussi de nous de vieux partenaires s'évitant la journée pour mieux se retrouver le soir et tenter de se surprendre encore.

Et parce que nous fûmes deux amants se devinant du regard, les yeux dans les yeux à hauteur d'homme, je me suis toujours interdit de l'enfourcher comme un cheval.

Rien de ce qui a été vécu n'a été oublié.

Me souvenir de toi, c'est honorer le sentiment de notre éternité.

QUIXOTE

Le défi

C'est une photo très ancienne, en noir et blanc, elle semble retouchée. Le cheval et son cavalier sont définis, mais le paysage bucolique dans lequel ils évoluent paraît flou, incomplet. On devine au loin un étang bordé d'arbres, des bouleaux peut-être. Le cavalier porte haut-de-forme et moustache, il monte ce qui semble être un pur-sang anglais. Le cheval est au galop, dans un extrême rassembler, ses oreilles couchées en arrière restent le point le plus haut et son chanfrein demeure au-delà de la verticale. Saisi dans le mouvement, il apparaît pétrifié. La légende : « James Fillis sur Germinal au galop en arrière. 1890. »

Sur cette photo, je me suis endormi… éveillé… rendormi… réveillé.

Les grandes figures de l'art équestre sont mes maîtres d'insomnie. Tant de connaissances accumulées m'impressionnent, de La Guérinière à Steinbrecht, de Pluvinel à Decarpentry, Licart, Franconi, Fillis, Raabe, Bragance, Oliveira, ils me guident dans l'observation et m'obligent à réfléchir.

Ces lectures permettent au timide que je suis d'apprendre sans avoir à demander, le sommeil les imprime en moi pour toujours.

D'entre tous, François Baucher, « le saltimbanque », est celui qui me parle, celui que j'écoute. Ses préoccupations résonnent en moi comme des évidences ; dresser et présenter des chevaux dans l'espace restreint de la piste implique de facto une manière spécifique d'aborder leur éducation. Sa « Deuxième manière » est mon livre de chevet.

Au cœur de la nuit, je m'interroge. Aucun d'eux, même Baucher, n'a trouvé de mots pour honorer la personnalité de ses partenaires et le sentiment qui les a unis. La plupart se vantent de les avoir dressés en un temps record, les enchaînant comme des conquêtes, et ne citent leur nom que pour les associer à leurs exploits. Oliveira, peut-être parce qu'il est le plus contemporain, évoque « ces sensations qui ont quand même élevé son âme au-dessus des misères d'une vie humaine ». Étienne Beudant, dans la lettre qui accompagne Vallerine, sa dernière jument, laisse entrevoir avec pudeur, entre les lignes de son mode d'emploi, que dresser un cheval est d'abord une histoire d'amour. Ce héros de papier m'inspire toujours.

Il y a du Don Quichotte à s'imbiber ainsi de littérature équestre la nuit et, le jour, partir à l'aventure de dresser un cheval.

Une fois ces expériences ancrées dans la tête, il s'agit de les faire passer dans l'assiette, les jambes, les mains, il faut éduquer le corps et ajuster ses réflexes. C'est une quête austère qui ne se partage pas.

Cette photo m'obsède. Je la regarde encore et encore. L'assiette du cavalier cachée par le pli de sa veste paraît très reculée alors que ses épaules sont légèrement en avant, les mains n'agissent pratiquement pas. Le cheval a les jarrets ployés, mais son équilibre reste horizontal bien que rassemblé à l'extrême.

Dans ses *Principes de dressage et d'équitation*, chapitre « Équitation savante », James Fillis écrit : « Le galop en arrière est une allure régulière et qui se décompose en quatre temps, exactement comme le galop en avant dans le rassembler. C'est le plus difficile et le plus compliqué des airs… Je conseille de ne le demander qu'à des chevaux d'élite, il faut en effet des reins et des jarrets exceptionnels pour supporter le rassembler poussé à son maximum, sans lequel il est impossible d'obtenir ce mouvement. » Et plus loin d'affirmer : « Baucher a inventé l'expression galop en arrière mais a absolument méconnu cette allure… Il effectuait ce que l'on peut appeler un terre à terre en arrière où les deux antérieurs et les deux postérieurs frappent au sol simultanément… Il n'y avait pas pour lui un pied sur lequel galoper ! »

Pas d'images animées, ni de témoins survivants. Il n'y a que paroles d'encre.

Qu'à cela ne tienne, devant vous, mes maîtres, je vais relever le défi : mon cheval Quixote exécutera le plus pur des galops en arrière et, pour qu'il n'y ait pas de contestation possible, il le fera sur un plancher de bois. Ainsi, d'où que vous soyez, vous pourrez entendre la mélodie des quatre temps du galop suspendu dans les airs.

Lui aussi il pense et a besoin d'illusion.

QUIXOTE

L'envol

« Sois persuadé qu'en dressage, le succès en tout vient de la préparation du cheval », me souffle Étienne Beudant.

*

Sous la selle il est sérieux, presque froid, sûr de sa force. Il s'émeut rarement et apprend vite. Son piaffer manque d'élévation et de rondeur pour l'instant, mais le travailler lui allège l'avant-main, peut-être en perspective d'une levade qu'il aura posée et stable, car ses jarrets sont forts et son rein puissant.

Je l'ai écouté et privilégie le travail au galop. Depuis quatre mois nous avançons de concert. Ses appuyers sont cadencés et ses battues régulières, il commence à rapprocher les changements de pied, s'assoit sûrement dans la pirouette qu'il exécute avec lenteur aux deux mains. Il répond bien à l'engagement de mon bassin pour augmenter l'impulsion et rassembler son galop…

Il accepte maintenant le galop sur place dans la descente de main et de jambe. Avec lui seul je partage ce chemin, et nous allons sans témoin ni permission.

*

Depuis quelque temps, j'installe une proposition. Au galop à gauche (celui qui a le plus d'aisance), à faux sur le petit côté (pour contenir les hanches), nous rassemblons jusqu'à galoper sur place (en avançant légèrement) puis, presque arrivé au coin, je l'arrête et aussitôt lui demande quelques pas de reculer... Rênes longues, caresse, nous rentrons à l'écurie.

Je le sors deux fois par jour, l'attente entre chaque séance me paraît interminable, mais même à distance le dialogue se poursuit ; au repos dans son box, il assimile les leçons et progresse par la pensée. La proposition fait son chemin, nous sommes connectés.

*

La nuit, je lui rends visite. Il est tranquille et détaché, sûr de lui. J'écoute son corps. Ses tendons me parlent bien, ses jarrets aussi, pas de molettes ni de vessigons. Sa ligne du dos se renforce, son rein réagit avec souplesse à mes pressions de doigt.

Il me conforte dans mon approche du travail. Durant cette période fiévreuse, je me projette vers lui en avant de moi.

*

Ce matin, son galop rassemblé est impressionnant d'énergie et de calme. À l'allure, sur place, ses mouvements semblent libérés de la contrainte du poids. Sa cadence est régulière, je l'accompagne de mes hanches. Il est tout entier dans mon assiette. Léger sur la main, sa tête est fixe dans son balancier et ses oreilles tendues vers l'avenir. J'entends son mors à pompe me jouer un air et, à l'endroit précis où je demandais mon arrêt et reculer, je renforce mon action du bassin ; tout en gardant le tempo, je recule mon assiette et porte légèrement le haut du corps en avant, comme le fléau d'une balance. J'inverse le mouvement, je ferme les doigts en cadence. Appels de langue. Quixote pointe ses oreilles et, sans altérer son branle de galop, exécute deux petites foulées en arrière... J'ouvre les doigts, rends la main, le couvre de caresses, mets pied à terre, le désangle et lui ôte la selle. Nous rentrons à l'écurie. Encore tremblant, je lui parle et le congratule. Il me regarde tranquille en avalant une à une les carottes que je lui tends. Je sais qu'il partage ma joie, nous nous sommes rejoints.

⋆

Sous le chapiteau du *Cabaret équestre*, à l'aplomb de la coupole tel un encensoir, se balance un lustre. Dans une traînée d'encens, il dit sa prière à François Baucher. Dessous, sur le plancher de bois, des sabots martèlent les contretemps de notre histoire, une enclume pour métronome. Piaffer, levade, pirouette au galop. Galop sur place. Reculer au pas. L'archet d'une contrebasse introduit le point d'orgue.

– *Silence.* –

Au galop il s'avance et dans un même élan, sur place et en arrière, au galop se retire, laissant devant lui la musique de ses pas.

– Noir. –

Selle sous le bras, je le salue. Seul dans la lumière, nu sous les bravos, il savoure son triomphe. L'histoire l'a nommé Quixote, par chance je l'ai rencontré.

Avec les chevaux j'ai beaucoup travaillé pour que chacun de mes gestes, même les plus simples, proviennent d'un savoir-faire.

Avec les hommes, je n'ai pas pris le temps d'apprendre. Je ne suis que maladresse.

CHAPARRO

Compassion

J'ai toujours voulu les écuries au centre de notre vie tribale, que ce soit sous le chapiteau en toile de nos tournées ou sous celui en cèdre rouge du fort d'Aubervilliers. Dans cette cathédrale de bois, emblème du théâtre Zingaro, tous les box sont alignés sur deux rangées qui encadrent un espace orné de lustres, et ont une large fenêtre ouverte sur l'extérieur. Les parois qui les séparent sont munies de barreaux. Les chevaux peuvent se voir, se tutoyer, mais aussi observer le comportement des humains. Les plus stressés ou agressifs se calment vite au contact de cette vie partagée au quotidien. Les box leur servent aussi de loges où, le soir, harnachés pour la représentation, ils se concentrent. Bien qu'attachés, ils peuvent apercevoir les spectateurs pénétrer sur la coursive au-dessus d'eux ; curiosité réciproque. Donnant à son extrémité directement sur la piste, l'écurie fait office de coulisses leur permettant d'appréhender le spectacle au plus près.

Les chevaux, comme les hommes, habitent leur théâtre. Mais la nuit venue, les bipèdes se retirant dans leurs caravanes, le barn leur appartient. Dans l'obscurité, chacun semble s'isoler, ils commencent leur vie intime, intérieure.

Longtemps insomniaque, j'ai pris l'habitude, quand la lune enfin apparaît dans le lanterneau au-dessus de mon lit, d'entamer mon voyage nocturne.

Chaussures aux pieds, jambes nues sous mon peignoir, je me glisse dans les écuries ; tapi dans l'ombre, j'essaie de me faire oublier. J'attends… Le silence, ça n'existe pas dans une écurie ; si l'on a la patience, si l'on sait disparaître, alors elle vous révèle sa partition et l'on peut entendre respirer l'âme des chevaux. Chaque box est un confessionnal.

J'écoute le hoquet guttural de Soutine ; bai brun dans l'obscurité, je devine son cou tendu dans le prolongement de sa mâchoire appuyée sur l'abreuvoir. Après avoir tiqué, toujours il bâille. C'est un angoissé, pris d'ulcère nocturne il ouvre grand la bouche, apparaît alors un collier de perles blanches.

Domino, solide knabstrup à la robe de dalmatien, regarde les yeux mi-clos son fils Jazz qui, dans le box d'à côté, s'est confectionné un oreiller en remontant la paille dans le coin opposé. Il s'est allongé de tout son long en vache et ronronne en dormant, la tête sur son coussin de paille.

Quixote se repose debout, paupières closes, tout son poids sur trois jambes. Quelques minutes de sommeil profond lui suffisent. Il tressaute et relève les paupières. Le cheval aussi est insomniaque.

Je les entends et les vois s'évader. Dolaci, allongé sur le flanc, agite son antérieur d'un geste saccadé, pour répéter un pas de danse. Il semble très loin.

Jamais les chevaux ne sont plus humains que quand ils dorment, car ils rêvent et, comme nous, quand ils rêvent ils sortent d'eux-mêmes. Peut-être rêvent-ils qu'ils sont des hommes ?

Et puis il y a ce chant, ce chant aigu, cristallin, inhumain… Celui que j'attends chaque nuit. C'est Zingaro qui, couché de côté, la tête allongée, appelle dans son sommeil. De ses flancs sombres s'échappe comme une plainte venue des origines, une mélopée suspendue, si fragile qu'elle me tire les larmes. Longtemps j'ai regretté qu'elle soit de l'ordre de l'indicible, de ce qui ne peut se donner à voir en public.

Ce soir-là, immobile depuis un long moment, appuyé contre un poteau de bois, je me suis fait oublier : c'est alors que j'ai vu... Du bout des lèvres, Chaparro, se croyant à l'abri des regards, s'efforçait avec application de pousser sa paille à travers les barreaux à destination de son voisin qui l'avalait à mesure. Guignolet était un jeune percheron gris pommelé que nous avions mis sur copeaux de bois car il engloutissait, en plus de son foin, toute sa litière de paille, ce qui lui provoquait des débuts de colique. Il occupait le dernier box de la rangée et, dans le secret de la nuit, Chaparro, son unique voisin, s'autorisait à braver l'interdit des hommes !

Quel message, quel comportement du percheron avait déclenché chez Chaparro ce geste de compassion ? Comment avait-il perçu le besoin de l'autre et compris qu'il devait le satisfaire à notre insu ?

Je me suis approché. Surpris, ils se sont tournés tous les deux vers le coin opposé. Je suis entré dans le box et me suis avancé vers Chaparro pour le rassurer. J'ai promené ma main sur sa peau et de l'autre ai tendu quelques brins de paille à travers les barreaux. Guignolet, après avoir hésité, a fini par s'en emparer timidement.

Comment pourrai-je accéder à cette compréhension intime de l'autre, entendre ce vocable sans mots qui semble dire l'essentiel ? Peut-on relier deux êtres doués de compassion et pourtant d'espèces différentes ? J'ouvrirai la boîte de Pandore, celle qui recèle l'abîme de la création, cette communion naturelle qui nous relie à l'univers, nous les vivants, animaux, végétaux et humains.

Cette nuit-là, j'ai dormi dans son box.

Il faut être bien malheureux pour avoir tant besoin de se rapprocher d'eux. À moins que ce ne soit ma façon à moi d'être seul.

FÉLIX

Colère noire

Un gamin, une petite frappe pleine de morgue. Il me défie avec arrogance, me toise du haut de son mètre trente.

Derrière un orphelinat en décrépitude, en banlieue de Milan, dans ce jardin public désabusé, terrain de shoot des junkies du quartier, alors que nous venions de démonter le chapiteau, il m'est apparu. Le gitan calabrais qui le tient à distance affirme qu'il s'agit d'un poney hackney, une race développée en Angleterre à partir des chevaux hackneys croisés avec des fells et des poneys welsh. Je n'en avais vu qu'en photo.

Élancé comme un pur-sang anglais miniature, il a de grands yeux pleins de colère, aussi noirs que sa toison. Ses oreilles minuscules se couchent sur sa nuque quand il essaie de mordre mon bras qui l'approche, il se dresse sur ses postérieurs, prêt à l'attaque.

Comment diable ce hooligan en blouson noir en est-il arrivé là ? Il n'a pas trois ans mais déjà de mauvaises fréquentations. Il me nargue. Avec son garrot effilé, son allure de limande et ses pieds en tasse d'expresso, cette petite gouape ne pourra jamais porter un cavalier. Mais il m'intrigue, m'attire, m'inspire. Après un marchandage protocolaire, indispensable pour le respect des parties, l'affaire est conclue. Des lires fraîchement gagnées changent de main, l'animal aussi et les gitans tournent le dos. Nous rejoignons le convoi rouge et vert, il trotte à mes côtés et lève haut les genoux pour éviter les seringues qui fleurissent l'herbe sèche.

Commence pour lui une nouvelle vie ; le jeune délinquant adopté par la troupe prendra comme nom d'artiste Félix... le grand !

*

Impressionné par son box, spacieux et généreusement paillé, surpris de ne plus être attaché, il est en liberté surveillée entre Quixote et l'immense shire Ryton Regent. Le bobby géant qui le regarde avec curiosité ne lui demande pas ses papiers, il semble plutôt bienveillant.

La tournée italienne se poursuit.

Le dernier nommé devient vite la coqueluche de la tribu, et l'on peut voir sa jeune groom amoureuse le promener à vélo dans les rues de Spolète. Pas peu fier, il parade à ses côtés et trotte quand elle pédale en danseuse. C'est plus tard, profitant de son statut de petit prince des ténèbres, qu'il deviendra la bête noire des palefreniers, les chassant toutes dents dehors lorsqu'ils pénétreront dans son antre. Ils devront attendre que le fauve sorte avec moi pour pouvoir curer son box !

Commence l'apprentissage. Avec lui, pas question de chuchoter l'éthologie, d'asservir ses réflexes, ni même d'asseoir ma domination par des exercices avilissants. Surtout ne pas éteindre son arrogance, tout juste lui apprendre à canaliser le feu qui l'habite. Notre complicité se gagnera en combattant.

J'invente des stimuli pour le défier de plain-pied et peu à peu il mémorise ses réponses instinctives. Il est vif et volontaire. Quand la colère l'enflamme et fait briller ses yeux, ses oreilles disparaissent et m'obligent à l'esquive. L'élan qu'il impose est celui de son humeur ; pour le suivre et jouer avec lui, il faut de l'agilité d'esprit et de corps.

Mon nouvel amant est un cheval chat, il m'invite à accepter comme une vertu le respect de l'instinct.

★

Les semaines s'égrènent et le temps n'a plus de prise. Chacun s'affirme, la lutte se transforme en jeu. Nous entrons en connivence. Avides de sensations, nous nous retrouvons chaque jour, et sans discours ni méthode inventons un langage corporel animé par sa seule volonté. Je le laisse conquérir son espace et écrire sa partition. Le centre de la piste, c'est là où nous sommes.

★

Opéra équestre. L'archet tranchant du violon nous innerve, Félix déroule la corde à ma ceinture et le voilà qui danse comme un oiseau chante.

C'est un démon halluciné et trépidant, sa nudité accroche la lumière. Je me sens pataud à ses côtés, car sa danse n'est pas humaine. C'est un corps évanescent qui s'échappe de moi, relié seulement par ce cordon ombilical. Il bondit et, tel un Cassius Clay saboté, balance d'un antérieur à l'autre entre charge et esquive. Celui qui tourne autour de moi et me happe de son œil effronté est le maître de la vie ; il s'est déclaré immortel. Les oreilles aplaties, anguille sombre, il se love et s'enroule au creux de mes reins. Puis vient la trêve :

il s'incline en révérence et, magnanime, pose son pied délicat sur mon genou ployé en signe d'allégeance.

*

Pendant presque une décennie nous nous sommes chamaillés en public. Malin comme un feu follet, tu n'as jamais abdiqué.

Puis ce fut *Chimère* où, poursuivant la chauve-souris sous un tonnerre d'acier, tu traçais à la surface de l'eau un sillon de soie. Enfin, à l'ombre d'*Éclipse*, sur les cristaux de glace, tu as épousé le tango d'un moine zen.

Félix, félin de mes noirs désirs, tu es sorti de mes entrailles et tu m'as fait danser. L'esprit ne peut posséder l'animal qui est en nous, tout au plus peut-il l'apprivoiser, le révéler.

Et puis tu as disparu… Mais ta colère en moi n'est pas morte.

De même que le fœtus dans le ventre ne peut connaître l'âge de sa mère, le cheval sous mes fesses ne peut connaître l'étendue de mon bonheur.

ZINGARO

La métamorphose

C'est en Toscane, dans les prémices de juin. Sous un ciel en lambeaux, nous avons dressé notre chapiteau à l'orée d'un bois aux portes de Volterra, la ville des fous.

Ce matin-là, précédant le soleil, je me suis levé habité par un grand silence et la sensation de porter en moi tous les rêves du monde. Je t'ai rejoint dans ton box, nous nous sommes salués et, à l'abri des regards, j'ai délicatement ouvert ta bouche pour y placer le mors d'acier d'un filet équipé de rênes. Tu as paru un peu surpris de ce contact. Après te l'avoir fait sentir, j'ai déposé une selle sur ton dos pour la première fois. Sûr de notre confiance, j'ai ajusté la sangle... Tu n'as pas bronché, alors en te parlant comme pour me rassurer moi-même, je me suis hissé, sur le ventre d'abord, puis avec précaution j'ai passé la jambe pour t'enfourcher. Et me voilà « à cheval », tes oreilles entre mes jambes. Ce sont elles et non plus tes yeux qui me parlent. Je me penche sur ton encolure pour leur chuchoter des mots rassurants. Après s'être retournées l'une et l'autre, elles se dressent vers l'avant à l'écoute du monde.

Nous sortons ainsi enlacés et, une fois dehors, inconscients comme les enfants partent à la découverte de la vie, nous nous dirigeons vers la forêt.

Je ne suis pas vraiment cavalier mais plutôt passager, car c'est lui maintenant qui mène la danse, s'enhardissant avec le soleil sur les chemins chaotiques. Bientôt le chapiteau brun qui trône entre les verdines rouge et vert disparaît, l'horizon s'offre à nous. L'animal qui me transporte souffle comme un diesel, il est en métamorphose, tout accordé au frémissement de la nature qui lui joue un air. Ici le claquement d'ailes à la tire du martin-pêcheur, là le frelon qui nous cherche les basses et lui agace les oreilles, partout la brise qui fredonne dans les feuilles d'acacia. Il semble retrouver ses rêveries d'adolescent, ses forces ont décuplé, il se porte au passage et ses narines grandes ouvertes captent des odeurs de liberté. Quant à moi, je me tiens sur mes gardes ; n'étant pas convié à la fête, j'essaie de me faire oublier. Tapi sur son dos, je m'assure d'une poignée de crins.

Et c'est là, alors que nous allons au hasard dans cette garrigue détourée par le soleil encore horizontal, c'est là que mon inquiétude fait place à une soudaine euphorie intérieure qui n'a rien à voir avec le plaisir d'être à cheval, mais relève plutôt d'une sorte de révélation mystique de la terre primitive... Tous mes sens s'invitent à cette illumination, qui ne vient pas du ciel mais bien du fracas de la terre.

C'est d'abord le parfum anisé du fenouil sauvage qui s'engouffre dans mes naseaux dilatés, vite relayé par des embruns de sauge et de romarin mêlés, puis c'est au tour de la lavande des Maures, du mimosa argenté, et l'odeur du saucisson sec que dégagent les fleurs de germandrée ! Tout enivré de ces parfums à l'abordage, je prends conscience que nos sabots pourtant larges évitent soigneusement le trèfle étoilé, la pensée des champs et l'astragale. L'air de rien je les survole, les absorbe de tout mon être. Ici le poivre des murailles, là le nombril de Vénus et ses feuilles rouges au soleil, et là encore un buisson de salicorne. Laurier-rose, coquelicot, guimauve, ciste crépu dans le sous-bois, garance voyageuse sous son chêne vert, olivier de Bohême, tous forment une immense toile impressionniste où Cézanne, Pissarro, Gauguin se seraient donné la main.

La clématite brûlante de ses lianes grimpantes dépose sur mes lèvres une sensation poivrée. J'habite la terre. Elle m'envahit, me possède. Levant les yeux, c'est le ciel qui s'offre à moi comme un paravent constellé d'oiseaux de toutes sortes. Ils apparaissent, tournoient, disparaissent dans un incroyable ballet lyrique. Martinets, huppes et bergeronnettes jouent des cordes. Le héron pourpré, l'aigrette, le guêpier et l'hirondelle, tous s'interpellent a cappella.

Plus bas, près d'un étang, le gravelot et le râle d'eau rivalisent de vocalises et de trilles. Un petit-duc bat la mesure de son cri strident et grave, et le coucou de jouer le contrepoint. Tout là-haut, la buse féroce et le busard des roseaux basculent en volutes sous le regard du milan noir qui trace d'interminables circonvolutions en silence. Je les reçois plus que je ne les entends, je suis en eux partout à la fois, singulière sensation de plénitude diaphane.

L'odeur âcre de son encolure couverte de sueur et le souffle saccadé de ses flancs me ramènent à lui. Le soleil presque à son zénith nous impose de rentrer. À peine lui ai-je indiqué un demi-tour à l'aide des rênes qu'il presse le pas en direction des écuries. Nul besoin d'étoiles pour le guider, il semble connecté avec les astres. Une fois arrivé sur un chemin de terre, il prend le trot de lui-même. Poussé par une curiosité juvénile, je l'incite à prendre le galop. Il tombe au galop plus qu'il ne s'élance, un galop lourd, sur les épaules, tout étonné de se mouvoir ainsi, un passager sur son dos. Arrivé au campement, je saute à terre, le desselle et lui ôte la bride…

*

Jamais personne ne sut quoi que ce soit de cette escapade. Jamais plus je ne l'ai enfourché comme un vulgaire cheval. Il se devait de rester Zingaro, la bête mythologique, l'étalon libre et intègre qui tenait tête à Bartabas le Furieux.

Ce matin-là, il m'a offert en partage, en communion, son être tout entier. L'espace d'un instant, moi aussi je suis devenu cheval ; j'ai reçu comme une hallucination sa tellurique connivence avec le cosmos. Elle m'a rempli de joie, enivré d'espace comme ces poulains qui dévalent les collines et disparaissent au loin, ceux que j'enviais enfant, assis à l'arrière de la voiture familiale qui nous ramenait à Courbevoie après un dimanche dans le bocage normand.

De nature timide, il m'a fallu apprendre les mots de Bartabas pour me cacher derrière et assumer mon rôle.

Mais les mots, les vrais, ceux qui s'écrivent, doivent avoir de la noblesse, et sur les lèvres par leur sonorité honorer l'animal.

VINAIGRE

Le centaure dansant

Comme un fauve en cage, il tourne et se retourne, mû par sa seule rancœur. Les oreilles effacées, il frappe des dents sur les barreaux de fer quand s'approche son voisin de box. Avec les humains, il semble plus respectueux.

Ce lusitanien au chanfrein busqué est un guerrier qui, soumis par la contrainte, aspire toujours à la révolte. Il n'est pas grand mais très bien fait, sa robe presque blanche a des reflets d'opale et sa crinière est cendrée. C'est une peinture. Il a l'épaule profonde, les cuisses puissantes et les yeux enflammés. Delacroix ou Géricault l'auraient imaginé sur le champ de bataille, chevauché par un démiurge, s'extirpant de la mêlée, le regard plein de fureur et d'effroi. En le voyant j'ai compris qu'il allait m'éprouver.

Sous la selle, il est savant mais désordonné. Il donne tout en voulant le reprendre. Il s'énerve vite et procède d'une énergie presque agressive. Ses airs, livrés comme une démonstration de force, cachent en vérité une soumission forcée ; la manière dont il a été initié trouve là sa limite. Il va falloir désapprendre beaucoup pour retrouver calme et sérénité, et, avec son accord, patiemment le réaccorder.

*

C'est un long chemin pour lui faire accepter d'étendre l'encolure, d'aller en restant sur les hanches, le bout du nez en musarde et toujours ainsi, dans l'attitude, sans charger les épaules, de varier allures et transitions. Peu à peu il fait jouer tous les rouages de sa locomotion. Ses tensions mécaniques disparaissent à mesure que son mental se libère.

Avec lui je découvre par la pratique que c'est le corps qui s'accorde au mouvement de l'âme. Il m'apparaît alors comme un miroir, et c'est en frère que je le reçois, car je sais trop ce que l'on peut nourrir de violence quand on manque d'assurance. Ne vais-je pas moi aussi par à-coups sur les chemins de la vie ? Brutales et parfois violentes, mes bravades d'Artaban, mes humeurs de Bar-tabac sont les ruades d'un timide qui ne se résout pas à prendre sa place parmi ses congénères.

En dialoguant en silence, nous nous sommes soutenus, compris, affirmés. Je lui ai ôté sa méfiance, il m'a donné sa confiance.

*

Dans la fureur du *Cabaret*, nous avons, comme des apôtres de saint Georges, terrassé le dragon de cuir et libéré Akim, le cheval lilliputien. Mais il faudra attendre *Chimère* pour qu'enfin, avec toi, tel un centaure amoureux, je m'autorise à fermer les yeux… Mes jambes s'effacent sous les plis de ma jupe ; les rênes à la ceinture, j'entre à mi-corps dans ta bête tout entière. Mes mains inutiles peuvent désormais embrasser l'espace. Mes bras flottent à la surface d'un être qui bouillonne sous mes fesses. Tu es l'énergie, je suis l'apesanteur, nous formons un être hybride. Fouler la piste avec tes pieds m'a révélé au monde de la danse. Au son des *kartals*, je sculpte l'air de mes bras nus et nous disparaissons au galop, le cou tendu comme une oie blanche.

Dans le miroir de l'eau se reflétera toujours la grâce de notre union.

Avec les hommes, j'ai toujours l'impression d'apparaître déguisé. Seuls les chevaux me voient tel que je suis.

MICHA FIGA

Connivence

Assise dans un coin du box, jambes repliées, elle s'est endormie.

Debout au-dessus d'elle, il la regarde, les paupières mi-closes et le front bas. Il y a quelque chose de très ancien dans ce cheval qui semble vouloir partager ses rêveries. Sans un mot, ils dorment à tour de rôle. Moi je suis l'apparieur, accroupi dans l'ombre de la nuit, je veille.

★

Voilà presque une année, je les ai présentés l'un à l'autre. Micha Figa partageait la vie de la troupe depuis sept ans déjà, rarement monté il avait gardé une certaine retenue et il fallait pour obtenir sa confiance être sur la même longueur d'onde.

La dame de Wuppertal était empreinte de pudeur et de délicatesse ; Joconde énigmatique, elle alliait force et fragilité. Avec ses veines à fleur de peau et son encolure de cygne, elle me faisait penser à un pur-sang de course.

★

Ça commence toujours par une longue soirée qui s'étire jusque tard dans la nuit. De cigarette en cigarette et de vin rouge en cigarette, nous échangeons sur nos voyages, nos rencontres, nos aventures et le fardeau de nos compagnies. Comme deux taiseux qui se sont trouvés nous bavassons jusqu'à ce qu'enfin le silence s'impose et que l'envie de parler fasse place à l'envie de faire… Faire en silence ce qui ne peut être discuté. Alors seulement, nous allons rendre visite à Micha Figa ; le temps des confidences muettes peut commencer.

Je la vois absorber sa peur pour accorder son corps au mouvement de son âme. Être soi devant lui, simplement. Ils échangent des vibrations sans souci d'être compris. Il bâille, elle s'incline, je perçois une étrange douceur dans le regard de Micha Figa, une manière si délicate de la considérer lorsqu'elle déplie son bras sans fin et que sa main dessine une parole qui s'envole.

Il y eut beaucoup de nuits volées dans la piste de Zingaro, des nuits à observer ces deux êtres qui vont et viennent, qui soupirent et aspirent à se connaître, qui n'exigent rien l'un de l'autre mais semblent s'attacher à rendre l'instant unique. La rencontre originelle.

La simple attention qu'ils se portent m'apparaît comme un mouvement vers l'éternité.

*

Pendant plusieurs années, le projet de monter un spectacle ensemble est resté en suspens ; la difficulté d'ajuster les plannings contraignants de nos compagnies respectives retardait sa mise en œuvre.

Mais alors que nous visitions des théâtres sur l'invitation de directeurs culturels en émoi à l'idée d'accueillir le bébé en gestation, je pressentais déjà que ce qu'avait révélé Micha Figa en elle était si profond, si intime, si précieux qu'on ne pourrait le représenter. L'exposer eût été le galvauder.

Se confier à un cheval réveille des sensations si primitives que petit à petit grandit en nous un sentiment qui, pour survivre, doit rester à l'ombre de nous-mêmes.

*

Nuit d'été. Un orage se déchaîne sur le décor de *Mazeppa* construit depuis peu. Abrité à l'entrée de l'écurie, je contemple la scène de mon film à venir. Le tournage commence dans quelques jours et le fracas des éclairs, la violence de la pluie donnent vie à la séquence.

Surexcité, j'en oublie la danseuse.

J'y retourne et la découvre là, debout au centre de l'écurie, pâle et longue entourée de tous les chiens de Zingaro couchés à ses pieds.

Image fellinienne que cette madone impavide terrorisée par l'orage et protégée par ses bêtes. Les animaux sont des médiums, ils captent l'électricité des âmes.

*

Un jour Micha Figa, l'ange couleur de lune, s'est envolé… Parti.

Puis ce fut au tour de la danseuse… Partis tous les deux.

Il était dit que nous aimions les timides : « Il y a des choses que l'on ne peut montrer sans pudeur ; ce qu'on doit chercher, c'est un petit détail qu'il faudra voir comme quelque chose de grand, d'unique », glissait-elle.

Micha Figa était un cheval timide et elle se nommait Philippine : celle qui aime les chevaux.

Les chevaux sont les maîtres
à qui je soumets mon destin.

LAUTREC

Une gravure de chair et d'os

À l'aube du siècle des Lumières, Charles Parrocel – deuxième fils de Joseph, dit le Peintre des batailles – passe pour être le meilleur croqueur d'équidés du royaume. Sa formation paternelle associée à un séjour dans la cavalerie ont fait de lui un maître dans l'art de décomposer les allures du cheval en mouvement. C'est donc à lui que La Guérinière, le « moderniste », fait appel pour illustrer son traité d'équitation « naturelle et raisonnée » ; l'*École de cavalerie* deviendra la bible des défenseurs de l'équitation de tradition française.

La première partie de l'ouvrage, moins connue, est consacrée à « la morphologie du cheval et tout ce qui le concerne ». De magnifiques eaux-fortes de Parrocel montrent en pied des chevaux élevés et importés par le royaume, à tous les airs et dans toutes les postures.

De les avoir tant contemplées, elles se sont tatouées dans mon imaginaire.

★

Bai cerise, avec de la taille, une magnifique tête de lusitanien au chanfrein busqué, de grands yeux sombres, des crins fins qui ruissellent sur son encolure, il a la peau veineuse, l'épaule profonde et les canons courts. Ce n'est plus une image, c'est un être qui va, qui vient, qui respire et qui souffre.

J'en fais le tour. Il nous arrive du nord de l'Espagne, acheté pour une bouchée de pain. Je m'interroge. Son arrière-main manque de force et présente, vue de derrière, une forte dissymétrie ; il a la hanche gauche coulée. Au trot, il compense une flagrante irrégularité dans la poussée de ses postérieurs par une amplitude et une vélocité des antérieurs peu communes. L'élévation de ses genoux est spectaculaire. Monté, il précipite au galop et pèse fort sur la main. Dans son pays, on imagine pouvoir remédier au mauvais équilibre du cheval par l'utilisation d'une embouchure « efficace » et d'une gourmette serrée à bloc. De douleur, le cheval a développé un babillement nerveux de la lèvre inférieure. Elle claque bruyamment au moindre contact du mors sur les barres.

S'il m'est apparu, au premier coup d'œil, peint de belle manière, il se révèle en vérité sculpté de misère.

*

« Les défenses des chevaux ne viennent pas toujours de la nature... On leur demande souvent des choses dont ils ne sont pas capables en les voulant trop presser et les rendre trop savants », légende La Guérinière.

Qu'à cela ne tienne, il fait désormais partie de la tribu. Son énergie débordante n'est pas pour me déplaire, et puis quelque chose en lui me parle. Il faudra qu'il me raconte, et de ce désastre peut-être surgira la beauté.

Il se nommera Lautrec.

On dit qu'un homme sans terre
est un homme sans jambes.
Je suis un cul-de-jatte à cheval !

QUIXOTE

Entrer dans la légende

Face à la cour d'honneur du haras du Pin et adossés au perron du château, qui sur son autre versant surplombe une vallée trempée de brume, sont alignés botte à botte une brochette de militaires vermoulus sur leurs chevaux compatissants. Ils vont être les témoins de l'exploit annoncé, du défi au temps qui marquera l'histoire.

C'est le tournage de *Mazeppa*, où le jeune écuyer Franconi s'apprête, devant ses pairs, à traverser la cour d'une extrémité à l'autre dans un galop si lent qu'il lui faudra une heure pour réaliser cette prouesse. Il l'achèvera en maître des horloges par un retour en arrière, toujours au galop.

Deux caméras montées sur rails suivront en travelling toute la traversée dans les deux sens, en plan-séquence. La continuité et l'authenticité du mouvement seront garants de la dramaturgie.

Au bout de la cour, au pied des platanes, Quixote est en place, prêt à tourner. Moteur demandé. Silence... Sa mâchoire s'entrouvre tandis que sa langue remonte et fait tinter l'acier de son mors, signe de décontraction. J'ajuste mes vertèbres et l'étau de mes cuisses, il se tait et dresse les oreilles... C'est l'apnée générale.

« Si tu aspires à voler tu voleras ! » chante d'une voix écarlate un rossignol indifférent.

Il s'élance en confiance et ses sabots semblent à peine toucher terre.

*

Voilà presque six ans maintenant que tu régales le public de ton galop arrière. Soir après soir, sans jamais faillir, tu te forges ta réputation. Travaillant à distance du milieu équestre, il a fallu attendre que la voix coure et peu à peu ils ont défilé pour te voir. Les écuyers du Cadre noir, curieux et en civil, accompagnés de J. Oliveira, puis les stakhanovistes du rectangle olympique, et même les bicornes de Vienne, tous ont levé leur verre de vin chaud à ta gloire. Seul en piste, tu les salues avec un plaisir dissimulé ; conscient de ton talent, tu restes appliqué. Tout juste si la jeune groom au sourire éclatant qui te bichonne au quotidien parvient à te dérider lors de vos promenades bucoliques.

Né moins d'un siècle plus tôt, c'est le Tout-Paris qui serait venu te célébrer. On aurait écrit sur la limpidité de tes foulées, sur ce point de suspension, quatrième temps de ton galop, et rendu hommage à la manière hardie dont tu t'engages dans cet air révolutionnaire.

M. Franconi t'aurait recruté au cirque des Champs-Élysées, où Baucher et d'Aure seraient venus t'applaudir en cachette. Tu aurais partagé les écuries avec Partisan, Capitaine, Neptune ou Buridan.

Jeu de miroirs... En tournant ce film qui met en scène la rencontre du célèbre écuyer Franconi avec le jeune Géricault, et en me glissant derrière le masque de cuir de l'écuyer au visage meurtri par la guerre, je me retrouve sur Quixote à la croisée des chemins. N'est-ce pas le fils de

Franconi qui forma un jeune cavalier du nom de James Fillis né en 1834 d'une famille d'écuyers de cirque ? Ce même James Fillis, devenu écuyer en chef de l'école de Saint-Pétersbourg, qui allait m'inspirer ce galop en arrière…

Ils sont tous là ; La Varende et son *Nez-de-Cuir* pioché enfant dans la bibliothèque paternelle est aussi du voyage. Alors que sous mes fesses Quixote arrive au bout de sa course, j'inverse mes aides et nous repartons de concert au galop… en arrière.

— Coupez. C'est la bonne !

Une seule prise sera nécessaire pour qu'il entre dans la légende.

Je n'ai jamais eu la mémoire pour boussole.

Vivre avec eux m'a déconnecté du passé et de l'avenir des hommes. Avec mes chevaux, je navigue au présent.

LAUTREC

Soumission

Jour après jour, Lautrec découvre que l'on peut travailler sans souffrir. Une main douce et un mors en caoutchouc le mettent en confiance. Grâce à son exceptionnelle ouverture d'épaule, il alterne avec aisance trot d'école, passage et trot en extension. J'espère qu'il trouvera sa place dans *Chimère*, le spectacle en préparation.

Pourtant, s'il est généreux au travail et collabore avec plaisir, son état physique me préoccupe. Il maigrit. Vermifuges, protéines, foin de Crau, vitamines, rien n'y fait. Une fois seul et libre dans son box, il paraît perdu et je perçois dans son regard une angoisse latente, ses flancs s'agitent alors d'un spasme interminable. Il ne retrouve son calme qu'attaché pour son pansage, et tout disparaît une fois sellé. Il n'a aucune allergie ni dégénérescence pulmonaire, il ne tousse ni ne montre de détresse respiratoire à l'effort. Pour les vétérinaires, il ne s'agit pas d'emphysème ni d'asthme, mais plutôt de « crises d'angoisse d'origine nerveuse ».

⋆

Y a-t-il une porte pour retrouver le chemin qui mène à l'animal, pour revenir d'où l'on vient et comprendre sans le secours des mots ?

Cette nuit, j'entre poliment dans son box, comme dans la chambre d'un ado. Réfugié de profil le long de la paroi opposée, il tourne la tête vers moi, ses côtes s'agitent tristement. Je voudrais qu'il me parle mais il ne dit rien. A-t-on jamais vu un cheval s'apitoyer sur son sort ?

Je l'interroge, c'est à moi de faire le chemin, d'entendre ce qu'il ne peut pas dire, d'interpréter ses angoisses noctambules. Tapi au fond de son box, il me regarde sans me voir. Je connais ce regard. Celui de l'insomniaque qui est déjà loin… Son corps l'appelle en vain.

*

Toi et moi, nous savons d'où tu viens ; une pauvre écurie de commerce de Vilatenim, petit village de la province de Gerona.

Les chevaux y étaient à vendre. Ils étaient tous alignés en stalle, côte à côte, attachés face au mur, une chaîne munie d'un contrepoids leur permettait de s'allonger la nuit. Le jour, la litière de paille était remontée sous la mangeoire et le sol de pierre arrosé au jet ; les bêtes se reposaient sur trois membres, la tête basse et la queue liée.

Peut-être avais-tu trouvé la paix dans cette soumission à l'attache. L'acceptation de la contrainte peut procurer un sentiment de liberté, enlève-la et la peur t'envahit.

Cette peur, je l'ai éprouvée. Je m'en souviens.

Je suis à Rome, villa Médicis, siège de l'Académie de France. Après un dîner courtois et anesthésiant, je m'enferme dans ma chambre, une vaste chambre de pierre au plafond si haut qu'il m'est impossible de distinguer précisément les motifs peints sur les poutres apparentes. Pour tout mobilier, un lit à baldaquin, une chaise de rotin et une table de bois mat.

C'est la nuit, seul dans cette villa sans voix, par l'unique fenêtre, j'aperçois la ville qui scintille au pied du mont Pincio. Je disparais dans le duvet de plume, le matelas mou qui m'absorbe ne tarde pas à me recracher. Impossible de trouver le sommeil. Je marche à travers la pièce comme un hobbit dans une cathédrale. J'ai froid... Je fais des pompes... Je cours sur le parquet comme un loir affamé... Je me recouche... Mais rien n'y fait, l'espace vacant m'obsède, m'angoisse.

À la fin, assis sur le rebord de la fenêtre, les pieds dans le vide, je guette la promesse de l'aube à l'horizon. Je voudrais retrouver mon donjon, celui de ma caravane. Trois barreaux à escalader, et je m'y glisserais à quatre pattes. Lové dans ce cocon, mes chevaux à portée d'ouïe me berceraient. À l'orée du jour ils m'appelleraient et je me soumettrais à leur diktat.

Bien sûr, le sacerdoce qu'ils imposent réduit mon espace de vie, mais c'est à leur côté, en caravane, les roues sur terre, que j'ai trouvé la liberté, celle de les servir.

*

En t'offrant le confort d'un box spacieux ouvert sur la vie, je t'ai mis en panique.

Nous perçons un trou dans la paroi et fixons une corde à un contrepoids. Une fois attaché, tu retrouves le moral et reprends de l'état, tes flancs lisses se remplument. Peu à peu, je t'apprendrai à être libre ; après tout, n'est-ce pas l'homme qui a inventé le bonheur ?

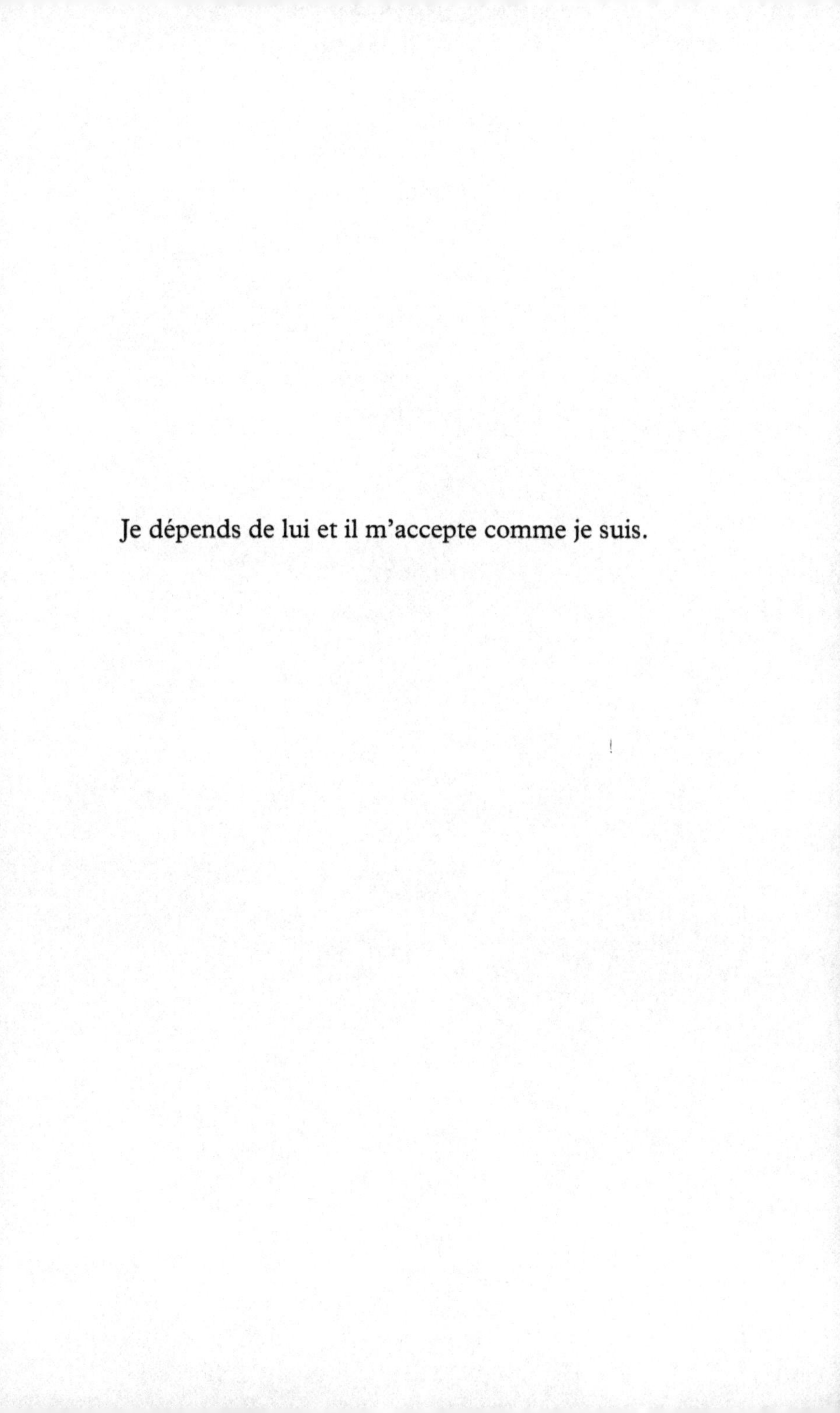

Je dépends de lui et il m'accepte comme je suis.

LAUTREC

La parole

De mémoire de spectateur, on n'avait jamais vu cela ! Sur l'épicycle de *Chimère*, Sancho et Rossinante devisent et argumentent tout en cheminant de concert. Indifférent, le chevalier à la triste figure chevauche la tête dans les étoiles, alors que sa monture, tout en comptant son pas, s'exprime en cachette à l'oreille du musicien servant qui lui répond du tac au tac. Claquements de langue sur le palais et castagnettes de noix de coco. Par la bouche Lautrec parle, l'homme s'essaie à son dialecte. Ils échangent dans une langue que le monde peut entendre mais qu'eux seuls comprennent.

Il nous est arrivé avec ce handicap ; au contact du mors dans la bouche, il claque la lèvre inférieure contre la supérieure en produisant un son caractéristique ; on dit qu'il casse la noisette : ce tic labial est considéré comme un vice rédhibitoire chez le cheval.

En sublimant cette différence, le clown, percussionniste de génie, invente une performance inoubliable.

*

« Suffit-il que les animaux ne s'expriment pas en latin ou en français pour qu'on les prive du pouvoir d'exprimer leur plaisir et leurs maux ?[1] » prêchait avec un courage post mortem Jean Meslier, le prêtre athée, philosophe des Lumières.

J'ai appris à écouter les chevaux en les observant, car c'est de tout leur être qu'ils s'expriment. Je me méfie des mots. Tantôt taiseux, tantôt gueulard, quand je m'emporte, ils n'ont pour moi pas plus d'importance qu'un claquement de porte. Ils me font peur, souvent ils manquent de pudeur. Péremptoires, ils occultent le sentiment profond. Un discours, aussi fin soit-il, n'aura jamais la délicatesse d'une caresse, ni la profondeur d'un regard.

*

Lautrec est maintenant libre et serein dans son espace. J'y pénètre avec sa permission. Il s'approche confiant, sûr de nous. J'effleure du bout des doigts la cavité de sa salière, la peau y est fine, ma main lentement recouvre son œil et je sens, sous ma paume, sa paupière qui se ferme. Ce geste d'une infinie douceur m'en dit plus qu'une prière.

*

Mon papi gît sur son fauteuil, hébété. J'ai neuf ans. Assis sur l'accoudoir, appuyé sur son épaule, je lui caresse la tête. Sous mes doigts je sens la cicatrice qui traverse son crâne.

Il se tourne vers moi. De ses lèvres entrouvertes ne s'échappe aucun mot, un sourire timide et ses yeux embués me disent tout l'amour qu'il me porte. Ce jour-là nous nous

1. *Testament de Jean Meslier*, cité dans *Le Silence des bêtes* d'Élisabeth de Fontenay, Fayard, 1998.

sommes parlé par le toucher... Je me souviens de m'être retenu de pleurer.

Célèbre chirurgien, homme cultivé, il venait de subir à soixante-douze ans, suite à une embolie cérébrale, une deuxième opération, qui allait ruiner définitivement ses efforts pour réapprendre à parler.

J'ai souvent repensé à ce regard qu'il m'adressait. Bien sûr, il y avait là de la détresse, la nostalgie de n'être plus l'homme qu'il fut, mais je me rappelle avoir surtout perçu la surprise, l'étonnement et la béatitude qu'il ressentait devant le petit animal sensible qu'il était redevenu.

Il savait que j'aimais les chevaux et j'ai compris qu'il m'encourageait à explorer leur langage sans mots, et pourtant si humain.

À cheval je n'ai pas besoin de mots.
C'est une étreinte charnelle qui alimente mes rêves.

L'ARAIGNÉE

Garder ses distances

Tout de suite il s'est appelé L'Araignée.

Alezan, pâle comme le xérès, il est sec et altier. Une tête fine d'anglo-arabe surmontée par une paire d'oreilles courtes et mobiles. Hongre, doté d'un grand braquet avec de l'air sous le ventre, il paraît perché sur échasses.

Dans *Chimère*, debout sur les étriers, je règne sur son dos ; ses membres ouverts, comme un sextant, il est figé au campo sur son reflet d'eau. Cheval à bascule sur son point d'équilibre, il offre ses oreilles à la jeune Indienne qui, accroupie au bord du Gange, le dévisage de ses yeux noirs. Nous sommes statufiés. Ma main, puis mon bras et moi tout entier, tendu au faîte de la *garrocha*, qui plantée au sol se prolonge dans les abîmes du miroir. Ensemble, nous relions le tréfonds au ciel, hommage au matador Rafael de Paula et à sa façon légendaire d'être immobile.

*

Âgé de sept ans, né entre Jerez et Séville, il est marqué du fer de Guardiola, habituellement réservé aux taureaux issus du fameux élevage du marquis de Villamarta. C'est sur un tapis de neige qu'il débarque à Aubervilliers à la mi-janvier. Impressionnant et impressionné, il découvre en ronflant le velours blanc sous ses pieds ; son encolure ployée comme un arc, il avance par bonds désordonnés jusqu'à l'écurie. On dirait un chat sur des braises. Une fois au centre du barn, il se dresse de son plus haut et lance à l'adresse de ses nouveaux camarades un hennissement retentissant. J'en frémis au bout de ma longe. Celui-là, il faudra le vouvoyer.

Comme la plupart des chevaux *camperos*, il fut certainement débourré et soumis sans ménagement. Là-bas, le lourd mors d'acier brun les fait aller résignés, le front encapuchonné et la bouche mutique. La suavité du *fino* dissimule tant bien que mal la rudesse de la *doma vaquera* !

Au travail, L'Araignée est sans cesse sur ses gardes, comme un enfant battu il sursaute au moindre bruit, et même à l'apparition de son ombre dans les lumières du théâtre. Il faut l'instruire avec tant de patience que plus d'une fois nous avons dû le soir tard éteindre nous-mêmes les services.

Pour obtenir son accord parfait, les règles sont étroites : elles requièrent prudence, assurance, retenue et précision.

Les mois passent.

*

Tenant la *garrocha* d'une main, j'ouvre le chemin et, sans un mot, nous récitons la gamme ascendante et descendante des changements de pied au galop sur le cercle. Le voilà maintenant concentré, à l'écoute.

Pieds nus sur son îlot de bois, à l'épicentre de l'onde verte, la danseuse de *kuchipudi* frappe des talons et des plantes ; elle fait sonner les grelots sur ses chevilles de fer. Happé par le tempo, L'Araignée s'élance, ses foulées s'égrènent entre mes doigts comme un chapelet de cuir.

Un, deux, trois, quatre, cinq et changement de pied.
Un, deux, trois, quatre et changement de pied.
Un, deux, trois et changement de pied.
Un, deux et changement de pied.
Un et changement de pied.
Changement de pied au temps.
Un et changement de pied.
Un, deux et changement de pied.
Un, deux, trois et changement de pied.
Un, deux, trois, quatre et changement de pied.
Un, deux, trois, quatre, cinq et changement de pied.

De ses foulées rasantes, il plane au bord de l'eau, effleurant à peine le sable muet. Il a l'élégance austère d'un pasteur.

*

Cheval furtif, j'ai aimé le côtoyer; quatre années aura duré notre idylle. Le temps d'une *Chimère*. Quatre années où je n'ai jamais vu dans ses yeux une lueur d'envie, seulement des traces de résignation. Il fit même preuve de force et de prudence pour résister à mes débordements d'attention et d'arrogante fraternité.

Tout juste s'il s'en remettait à moi quand mille paires d'yeux l'intimidaient. Jamais il ne m'a permis d'en savoir davantage. Tout le long de notre chemin il est resté muet. Mais peut-être est-ce une leçon qu'il m'a donnée; son attitude hautaine dissimulait une crainte atavique, et réveillait ce qui en moi est fuite et solitude…

De quel droit serais-je entré dans sa confidence? Le cheval, comme l'homme, reste détenteur de ses secrets.

En gardant ses distances et sa fierté chevalesque, il m'a appris à agir en maître de moi-même et à aller sans paraître.

Jamais je ne l'ai tutoyé.

Il se soulage où il veut quand l'envie lui prend, et s'il marche dedans, il ne s'essuie pas les pieds. Quand je l'ai caressé, je ne me lave pas les mains.

VINAIGRE

Périple céruléen

Ils sont trente, répartis par groupes de trois dans des caisses, séparés par des bat-flancs. Ils peuvent se voir, et nous, les côtoyer. Nous sommes quelques-uns à les accompagner tout au long du voyage.

J'ai choisi de rester avec Vinaigre, Zingaro et Lautrec. Un élévateur nous hisse dans le cul du 747, haut comme un immeuble de trois étages. Une fois arrimés sur des rails, nous avançons dans le ventre de la baleine. C'est la fin septembre, un courant d'air glacé accompagne le couinement strident des roues métalliques et le cliquetis des engrenages ; les box s'immobilisent les uns après les autres dans un fracas d'outre-tombe. Il fait sombre, les chevaux s'appellent et se répondent à l'aveugle. Nous voilà enfermés dans une prison d'acier, toutes les opérations de chargement se font à distance et l'angoisse qu'elles génèrent nous rapproche. Vinaigre cherche à mordre ma main qui le caresse. Les oreilles repliées comme des nageoires, il grimace et claque des dents. Ils ne sont pas loin ses démons d'hier.

Alors que le bateau ailé prend son envol en hurlant avec la fureur d'une horde sauvage et que le sol sous nos pieds s'incline vers les cieux, il se met au galop sur place et tente d'enjamber le tube métallique qui lui barre le poitrail. Je le calme de la voix, et des deux mains tente de le maintenir immobile. Tout occupé à le rassurer, j'en oublie ma phobie. Plus tard, je comprendrai que voler avec les chevaux m'a réconcilié avec le ciel.

Soudain tout s'arrête. Un silence cotonneux. Nous entrons en léthargie. Trente-trois mille pieds, nous survolons l'océan. Le commandant de bord et son copilote sont descendus avec les chevaux et se photographient tour à tour avec chacun d'eux. Dans le cockpit désert, le mécanicien lit une bande dessinée. Poursuivant sa migration, l'oiseau va seul et par cœur.

Dix heures de vol ponctuées par les repas. Nous sommes les hôtesses de l'air ; foin, carottes et seau d'eau sont au menu. Appliqués à les servir, nous échangeons des regards complices. L'excitation du voyage a fait place à une joie juvénile.

C'est là, alors qu'en apesanteur nous voguons sur les cristaux de glace, que je prends conscience du lien qui nous unit : simplement hommes et chevaux, nous partageons le même destin.

Une fois à terre, c'est le temps des hommes. Attente. Tractation. Déplacement. Laissez-passer. Attente encore. Bonjour l'Amérique !

Je reste à tes côtés. Tu joues des oreilles et montres des signes d'impatience, quand enfin depuis l'avion, sans avoir eu droit de mettre pied à terre, nous embarquons directement par une passerelle dans des camions aux reflets d'argent.

Ce sont des semi-remorques en aluminium. Le plancher très bas évite le ballant, les chevaux séparés seulement par un tube métallique sont attachés par une paire de cordes de chaque côté du licol. Nous sommes à leur tête durant le voyage. Les petites fenêtres rectangulaires sont à hauteur de cheval et c'est sur la pointe des pieds que je découvre New York. Un New York horizontal, au ras de la vie. Le New York des cogne-trottoirs... Ça défile par la fenêtre en 16/9 et j'ai l'impression de connaître le film. Entre les bouches d'incendie maquillées de rouge vermillon, les taxis jaune canari et les sirènes de police, il y a des humains qui marchent. Nous traversons le Bronx, Chinatown et Little Italy, je suis avec Spike Lee, Cassavetes, Scorsese et Coppola. Vinaigre pointe les oreilles, il a vu deux uniformes à cheval.

Manhattan. Nous voilà à la pointe de l'île, à l'extrémité du voyage. Notre chapiteau, enfin. Il nous est familier, dressé au bout du monde il regarde la mer, et le soleil, avant de se noyer, ajoute à sa toile brune un reflet d'or. Vinaigre ne veut pas descendre du camion. Il hésite, je l'encourage, il s'élance et atterrit des quatre fers en Amérique.

Chaque soir nous danserons tous les deux sur la grève au son des *kartals* et de la *derbouka*.

Pendant tout ce temps, sans dormir ni manger, j'ai poursuivi un cheval à travers le cercle de sable et, au moment de l'atteindre, j'ai fermé les yeux.

ZINGARO

La maturité

Quinze ans déjà ! Zingaro a pris de l'ampleur, sa notoriété est à son zénith. Il est le roi des chevaux, une trentaine de compagnons sabotés et autant de bipèdes forment sa cour. Le poulain qui paradait dans les villages d'Estrémadure, attelé à un corbillard où se montrait en cage un dresseur de rats avec ses fauves, est devenu un monstre sacré, une idole célébrée de par le monde. Élu cheval de l'année, il fait la couverture des magazines et pose pour Demarchelier. Pour son arrivée à New York, une délégation de la maison Hermès l'accueille en fanfare sur le tarmac de JFK avec une énorme corbeille de carottes enrubannée.

À l'ombre des Twin Towers au bord de l'Hudson, tous les soirs, alors que le public quitte le chapiteau chimérique pour remonter Battery Park, une petite queue de célébrités hollywoodiennes tentent sans succès d'accéder à son box-loge, interdit aux visiteurs pour cause de quarantaine. Profitant de l'aubaine, pour éviter la « sortie des artistes », je m'y réfugie après chaque représentation.

J'aime observer comment tu dévores ta ration du soir, ignorant tout de la topographie humaine. Où que tu sois, tu sembles t'y retrouver. Ton habitacle de quatre mètres sur trois t'est familier et seule compte la pitance que tu engloutis avec la satisfaction du travail accompli. Et moi je suis là, près de toi. Je n'existe qu'à tes côtés. Dehors, les autres m'intimident, ils ont beau venir en admiration, « en fans ! » disent-ils, je garde mes distances. Éternel insatisfait, je me réfugie à l'ombre de tes flancs. C'est là, dans ton intimité, que je trouve la paix, moi qui peine à être intime avec moi-même.

⋆

C'est l'hiver, fort d'Aubervilliers. De retour du monde, nous voici chez nous. Adieu *Chimère* ; *Éclipse*, la nouvelle création, va peu à peu prendre forme. J'apprécie ces périodes intenses et parfois douloureuses où il faut donner corps à tous les désirs partagés. Je dois sonder hommes et chevaux jusqu'au plus profond de leur capacité, révéler leur potentiel en sommeil. C'est un long marathon, laborieux comme un accouchement au forceps ; mais parfois un questionnement provoque une réponse fulgurante.

Ce matin, rituel oblige, j'accompagne Zingaro dans la piste pour notre récréation quotidienne, je lui ôte son licol et l'invite d'un regard à prendre possession de l'espace. L'animal m'intimide, je m'interroge sur la suite à donner à notre aventure. Il a pris l'ascendant sur moi, je suis devenu son servant. Comment vais-je pouvoir transcrire sur scène l'évolution insidieuse de notre relation ?

Je suis absorbé dans mes pensées quand surgit l'offrande inespérée : l'animal, après avoir gratté le sable d'un sabot rageur, tourne plusieurs fois sur lui-même comme le font les carnivores avant d'atterrir au sol, mais au lieu de se relever il se redresse sur son séant et reste là, assis, immobile. Il me toise, mélancolique, presque nostalgique, comme fatigué. Il semble me dire : « Tu as fait de moi un cabot, alors qu'en dis-tu ? »

Nous restons face à face un long moment. Je suis stupéfié, traversé par cette euphorie silencieuse que j'ai appris à reconnaître. Une révélation qui vous met l'intérieur en transe, en action ; tel un danseur improvisant devant son chorégraphe, il vient de m'offrir le canevas de ce qui sera son solo. À moi de le mettre en scène. Ma seule réponse sur le moment est de m'approcher et de lui tendre une carotte.

*

Sur un tapis de neige, tous les cavaliers, de noir vêtus comme des pénitents, se prêtent à un étrange rituel. Ils entrent pieds nus sur la neige encore fraîche, grattent, tournoient, se roulent sur le dos puis se relèvent, s'ébrouent et vont s'asseoir un à un en cercle sur le bord de piste. Ils tissent une couronne pour que le maître des oracles, à son tour, seul au centre, vienne s'asseoir en majesté, indifférent aux flocons qui tombent du ciel et s'éteignent sur sa robe incandescente.

C'est le tableau final d'*Éclipse*, nous voilà repartis pour un tour du monde !

Vivre Zingaro, c'est vivre sans relâche.

HORIZONTE

Le serment

C'est la foire au village. Sur la grand-place en terre battue, dans les brumes tardives, les effluves de châtaignes grillées se mêlent à ceux du crottin frais. Étalons lusitaniens, de pure race ou *cruzados*, juments primées ou haridelles enrubannées, ânes et mules, près d'un millier de têtes se pavanent dans une ambiance bon enfant. Venus des quatre coins du Portugal, amateurs et professionnels, vieillards et gamins, touristes et gitans, tous exhibent leur interprétation très personnelle de l'art équestre portugais. Il y a de la fierté dans l'air, ça plastronne à grands coups de langue et d'éperons. Vêtus de *traje campero*, à cheval ou en calèche, dans un festival de robes et de crinières, de queues et de croupes, ils ressuscitent le temps où l'on n'allait qu'à cheval. Attachés côte à côte sur des estrades en bois verni, entre-sort des grands élevages, des spécimens font la parade.

Ce jour de la Saint-Martin, à la foire de Golegã, sur les hauteurs du Tage, au cœur du Ribatejo, à cent kilomètres au nord-est de Lisbonne, je l'ai vu pour la première fois.

L'ami qui m'accompagne me l'a présenté comme étant à vendre. Petit mais bien fait, gris pommelé, les crins sombres, il ne sort pas de l'ordinaire. Son cavalier, engoncé dans un *chaleco* vert olive à col de renard, un verre à la main, semble déjà bien imbibé. Alors que nous approchons du groupe de cavaliers, il pince sa monture et lance à la piétaille que nous sommes un sonore :

— *Meu cavalo ! Sim senhor, bom cavalo !*

À peine les molettes frôlent ses côtes que l'animal saute littéralement d'un diagonal à l'autre. Dans ses yeux exorbités se lit la crainte des représailles. Il a le rein court et une force peu commune, voilà sans doute des heures qu'il parade ainsi, répondant aux sollicitations de son cavalier éméché. Il lève les genoux avec une telle énergie qu'il aurait pu fouler le raisin nécessaire à distiller tout l'*água-pé* ingurgité en ce jour de fête.

Le *cavaleiro* nous adresse un regard condescendant quand nous tentons de l'aborder.

— Laisse tomber, dit mon ami. Ce n'est pas le jour ni l'endroit pour faire des affaires... Nous reviendrons cet hiver.

Moi, je fixe ses oreilles, toujours pointées en avant, guettant le moindre signe de lassitude ou de révolte. Il n'en a point. Volontaire, il s'exécute sans même sourciller, avec l'indulgence de celui qui a foi en la compassion humaine. C'est là, à cet instant précis, qu'il s'imprime en moi. Entre admiration et empathie je le fais mien, et il m'est insupportable de voir ce rustre lui sortir les tripes sans ménagement. Il s'éloigne. Je l'embrasse des yeux, sa croupe ronde et soumise, sa queue qui fouette en cadence disparaissent, absorbées par la foule des seigneurs à cheval. Mais je le jure, nous nous retrouverons. Il prendra cinq ans l'année qui vient, avant l'hiver j'irai le chercher.

La pluie s'invite à la fête et celle-ci m'apparaît maintenant comme un immense carnaval morbide.

Grands propriétaires terriens, hommes d'affaires, touristes déguisés, marchands travestis, tous fanfaronnent avec suffisance du haut de leur piédestal. Accompagnées tant bien que mal par un air de *corridinho*, les bêtes malmenées se soumettent avec indulgence, caracolant jusqu'au bout de la nuit sous le halo blafard des lampadaires. Elles suivent leurs maîtres jusque dans des granges à foin aménagées en auberges de fortune. Là, des hommes leur susurrent du fado à l'oreille, en exhalant des relents d'« eau de pied ». D'autres, du haut de leur monture, vomissent au petit matin leur *sopa da pedra*.

Le ciel pleure, au loin on entend les cloches de Torres Novas. Ce 11 novembre, dans la ville jumelée avec Rambouillet, on célèbre l'Armistice.

Le premier conflit mondial vit mourir neuf millions d'humains et, sous eux, dix millions de chevaux.

Nous ne sommes que de petites gens et de pauvres chevaux, qui aspirent à faire œuvre de leur destin.

« Des vedettes, rien que des vedettes ! »

VINAIGRE

Idylle nocturne

L'hiver, les nuits dévorent le jour. Il est presque vingt-deux heures et, une fois les répétitions terminées, je décide de sortir Vinaigre. La lune au nadir se cache derrière un épais rideau de coton, nous sommes seuls dans les douves, à l'abri des remparts.

Six ans déjà que nous peaufinons une grammaire charnelle ; le guerrier s'est fait danseur et je l'accompagne dans sa métamorphose. Dialogue sans mains, à peine les jambes, un frôlement de bassin, je lui indique par la pensée la voie à emprunter. Sur le dos de la Chimère, j'ai trouvé grâce, mon buste libéré se meut au féminin, mes yeux désormais inutiles se ferment en confidence.

Ce soir-là, sur la blancheur de son corps, j'ai habillé le mien d'une vaste pièce de soie noire. Elle donne des ailes à mes bras que prolonge une tige de bambou dans chaque main. Je suis prisonnier dans un papillon diurne. Danse serpentine des ténèbres pour une Loïe Fuller à cheval.

J'avance à pas comptés dans l'obscurité. C'est une expérience que d'aller ainsi en aveugle dans la nuit, la nuit noire que transperce seulement le regard de son cheval. À moins que, confiance suprême, il aille aussi, à l'écoute, les yeux fermés, guidé par la boule de neige qui émerge de son poitrail. Son troisième œil…

Piaffer balancé, reculer, pas espagnol, pirouettes au galop, changements de pied, à travers l'obscurité je ne cherche plus une figure, une image, mais l'élan qui porte notre corps partagé. J'interroge l'espace invisible, je le caresse de mes ailes soyeuses. Mon être disparaît, je ne suis plus qu'une forme qui le prolonge. Le centaure ainsi drapé n'a plus de visage. Le noir qui nous enveloppe reflète l'intensité d'une force concentrée au-dedans, que notre galop transporte à tire-d'aile.

Dans l'*Éclipse* à venir, je voudrais surgir du néant de la scène obscure, au souffle du *daegeum* laisser à peine entrevoir ton corps de lait, et redevenir invisible.

Vinaigre, tu m'as appris à fermer les yeux et à devenir l'instrument de ton désir. Chaque soir j'ai joui de ton onde, perché sur un nuage ondulant entre mes cuisses. Grâce à toi j'ai goûté à la plénitude du centaure.

À Zingaro, quand on crée un spectacle, on commence toujours par le cheval. C'est une manière de reprendre l'aventure au début.

DONOR

À la rencontre du cheval d'or

C'est avec lui qu'enfant j'entrais dans la nuit. Au galop sous les étoiles, je parcourais des déserts bibliques. Au réveil je le retrouvais de profil en pleine page de mon livre ouvert, étincelant dans sa robe or et argent. L'homme qui le tenait avait un sabre, et une grosse touffe de poils de chèvre noirs sur sa tête de Tartare. Originaire d'Asie centrale, ce cheval ancestral portait un nom mystérieux : l'akhal-téké.

*

Jeune homme immature, avide d'exotisme, je suis parti d'aventure à la recherche du cheval d'or. J'ai traversé des pays aux noms barbares – Ouzbékistan, Kazakhstan, Tadjikistan, Kirghizie… Arrivé au Turkménistan, j'étais Lawrence d'Arabie, et d'Achgabat, chevauchant mon side-car guidé par une babouchka aux yeux clairs, j'ai poussé plus loin dans un désert de poussière et de pierres. C'est aux confins du Karakoum, près d'une oasis, qu'il m'attendait, attaché à l'*urga* plantée près d'une yourte, tel le cheval céleste des chamanes.

J'ai caressé sa peau translucide parcourue de mille

faisceaux et je l'ai vue s'enflammer pour moi au coucher du soleil.

À la recherche du cheval d'or fut une quête fictionnée, tournée dans un monde oublié à la veille d'un cataclysme : l'Union soviétique au bord de l'implosion. Nous rapportâmes de belles images pour l'écran domestique.

*

Et un jour, de Belgique, il m'est arrivé. Il se nommait Donor. L'encolure grêle et renversée jusqu'au coup de hache, trop d'air sous un ventre levretté, des jarrets hauts, les paturons court-jointés, la croupe avalée et le dos étroit, il alliait à lui seul toutes les disgrâces. Mais c'était un akhal-téké et son œil recelait le mystère de la nuit des temps.

Fin et susceptible, je l'ai respecté. Ensemble nous avons découvert le pas d'école en arrière, un air en suspens qui salue ses propres traces. Au pays du Matin calme, sur le tapis vierge d'*Éclipse*, nous allions traverser en reculant le miroir du temps... Mais la vie est une expérience singulière d'où peut jaillir le trait qui te désarçonne.

Avant même la première tournée, le cheval fut frappé d'anémie cérébrale, mal rarissime qui semblait venir d'aussi loin que lui-même. Incurable, elle lui mangeait le cerveau, entraînait des maux de tête foudroyants qui lui faisaient perdre l'équilibre et vinrent mettre un terme à notre aventure à peine effleurée.

*

Contrairement à l'homme, l'animal ne peut voir venir la maladie et le chaos qu'elle entraîne. Il ne peut l'imaginer, ni même l'envisager comme une hypothèse. Lorsqu'elle survient, il l'accepte comme une évidence, qu'il pense peut-être partager avec ceux de son espèce. Il ne se désunit pas, il est sans remords ni peur.

Avant de partir pour la clinique, Donor a mis sa tête sur mon épaule et je me souviens que nous nous sommes tus longtemps.

Beaucoup sont partis sans que je leur ferme les yeux.
J'étais déjà ailleurs…
J'ai manqué de courage.

HORIZONTE

Promesse tenue

L'horizon est une fiction que le réel ignore.

PASCAL QUIGNARD,
Les Larmes

Il somnole, attaché au fond de son box, et m'apparaît plus petit qu'à Golegã. Trapu, tout en rondeurs pommelées, il a les deux sabots postérieurs couleur ivoire. Sa tête de lusitanien est encadrée par une paire d'oreilles dont la rectitude signale la franchise. Il est marqué au fer, 078 sur l'encolure et HC sur la cuisse droite.

L'homme fait chanter les barreaux d'acier d'un large mouvement de cravache, le cheval aussitôt se grandit et piétine nerveusement face au mur.

— *Bom cavalo ! Bom cavalo !* annonce-t-il avec un sourire satisfait.

J'ai tenu ma promesse, à l'entrée de l'hiver je suis venu le chercher. Sur son passeport vert est écrit son nom : Horizonte.

★

Le bon artisan sait voir dans la matière brute et évaluer le chemin à prendre pour la maîtriser. Il sait aussi se laisser guider par elle. Un dialogue s'installe alors pour faire naître son chef-d'œuvre.

Horizonte est un petit taureau, volontaire et survolté. Tout de suite nous nous sommes trouvés. Électrique, plein de vibrations, il marche sur des braises, dominé par sa crainte il est prêt à s'enflammer à tout moment. Mais c'est un phénomène ! Il n'a que cinq ans et montre une incroyable prédisposition au piaffer, sans complexe il enclenche presque le passage alors qu'il n'a pas encore assimilé sa basse école : il ignore la cession à la jambe, l'épaule en dedans et les appuyers, son galop est brutal, il ne sait pas même changer de pied.

Le dresseur est à la fois chorégraphe et danseur, il doit se substituer à l'animal pour l'aider à éclore ; il est en quelque sorte son tuteur.

Il me faudra, pour que son génie s'exprime, lui faire entendre raison ; il devra faire preuve d'humilité et revisiter avec moi les bases de son apprentissage. Nous le ferons avec modestie et assiduité, car de cette grammaire patiemment assimilée naît la juste complicité.

J'ignore alors qu'elle engagera nos destins pour un quart de siècle.

*

Dans *Éclipse*, après neuf mois de travail seulement, le jeune Mozart pose les prémices de son piaffer de légende.

De la nuque à la queue, sa colonne vertébrale est un arc élastique, son avant-main dégagée, il est tout entier tourné vers l'horizon. Je sens dans le creux de mes reins la légèreté de sa bouche en appui sur le mors.

Les rênes à la ceinture, il pirouette au piaffer avec une énergie *flamenca*. Il impose son propre *compás* sur les lamentations stridentes du *kayagum*. L'archet s'étire sur les cordes horizontales, invité sur son dos je l'accompagne de mes bras lascifs, un éventail noir et blanc dans chacune de mes mains. J'en joue à ciel couvert ou dégagé, entre ombre et lumière nous sommes en harmonie.

Il est la force, le mouvement,
  je suis le passif, le lâcher-prise.
Il est l'énergie,
  je suis l'apesanteur.
Il est le masculin, le soleil,
  je suis le féminin, la nuit.
Il domine son sujet,
  je me soumets à lui.
Il est la montagne,
  je suis la rivière.
Il est le yang, je suis le yin.

Je ne possède rien,
ni terre, ni maison.
Les chevaux ? Ce sont eux
qui me possèdent.

ZINGARO

Fin de l'histoire

Durant les deux années où se donne *Éclipse*, le miracle a lieu chaque soir.

Désormais seul maître du temps, il flâne parfois, jouant avec mes nerfs. Depuis les coulisses, j'assiste impuissant à ses simagrées, mais toujours il finit par s'exécuter, et le noir de l'éteindre en majesté. Je le rejoins alors dans l'obscurité pour lui donner sa carotte et le ramener en coulisses.

Octobre 1998. De retour à New York, dernière étape de la tournée, nous avons retrouvé nos marques à l'ombre des tours jumelles encore vaillantes et protectrices. Mais un soir… Ce soir-là, soir de pleine lune… Le soir de la trente-troisième, à mi-parcours des représentations, il reste là, debout, immobile, la tête basse, presque gêné d'être soudain le centre de toutes les attentions. Pendant un long moment, il me cherche du regard, mais ne trouve que son ombre. Je m'en veux de n'avoir pas su lire ce regard, de n'avoir pas compris tout de suite la gravité de la situation, mais bientôt je dois me rendre à l'évidence : le cheval est en colique depuis le début du spectacle et son état empire. Alors tout va très vite. L'arrivée du véto : démarche chaloupée à la John Wayne, il arbore sur sa blouse bleue, au niveau de sa poitrine, une collection de seringues bien alignées, comme une cartouchière. À sa botte un assistant en charge du matos. Péremptoires, ils s'emparent du cheval et de la situation, nous reléguant à la porte de son box. Une injection, suivie d'une autre, puis d'une troisième. Le pauvre animal, abruti par l'agression yankee, ne répond plus. Vite, un camion. Palabres avec les autorités sanitaires pour négocier une sortie de quarantaine, on le transporte à la clinique dans le New Jersey. Là il est opéré sur-le-champ. On lui coupe trois mètres d'intestin !

Pause.

Pendant le mois et demi qu'il nous reste à jouer, nous ne le remplaçons pas, la couronne que nous tressons reste sans Dieu. Son absence appelle la prière. Quant à moi, je suis comme à l'arrêt, suspendu à la courbe de sa température et à l'évolution de sa convalescence... État stable – rechute – ré-opération – rémission.

Tous les après-midi, je lui rends visite dans le New Jersey. La clinique se compose d'un ensemble de bâtiments presque identiques, hangars de bois peint, disposés en éventail au bord d'un étang surplombé d'une immense forêt de pins. Cadre bucolique loin de la frénésie de Manhattan.

Seul à l'écart dans un grand barn désinfecté à la betadine, il semble avoir perdu ses sens, il ne se reconnaît plus. L'Amérique a repris ses droits et notre Zingaro hier adulé est maintenant traité comme un migrant pestiféré parqué à Ellis Island... Ici aussi, c'est l'île des pleurs.

Dans son box, ses mouvements sont contraints par la pose d'un cathéter relié à une perfusion qui le réhydrate. J'essaye de le rassurer par des gestes complices ; jouer avec les sept longs poils de soie qui se dressent très haut de chaque côté de ses narines. Je soupèse sa lèvre inférieure, il a l'habitude de la laisser peser dans le creux de ma main pendant de longues minutes, abandon total. Mais alors que je tente de raviver cette filiation intime, il m'apparaît étrangement distant, absent. Après plus de quinze années de compagnonnage fraternel, il garde tout son mystère ; résigné, tourné vers l'intérieur de lui-même, on dirait qu'il connaît déjà la fin de l'histoire.

Si l'animal n'est sans doute pas, contrairement à l'humain, habité sa vie durant par l'angoisse de la mort, il possède à coup sûr la conscience instinctive de la fin de son existence. Alors oui, le cheval aussi est solitude.

Troisième opération ! Il résiste encore, état stationnaire, les vétérinaires sont plutôt optimistes mais, les représentations terminées, il nous faut repartir.

Intransportable pour le moment, nous devons l'abandonner la mort dans l'âme ; il nous rejoindra plus tard, quand son état le permettra. Le cargo 747 qui nous ramènera en France enregistrera un défaut de charge de six cent cinquante kilos.

Avant le départ, je lui rends une dernière visite, accompagné de mes deux fils venus pour les vacances. Âgés de six et neuf ans, ils l'ont toujours connu. Depuis leur plus tendre enfance, ils m'ont vu et entendu l'encourager par des « C'est bien, fils… Encore, fils… Très bien, mon fils ». Alors peut-être devinent-ils ma détresse tandis que j'essaye de garder le chanfrein haut et confiant. Ils sont impressionnés de voir la main du vétérinaire, suivie de son bras entier ganté de caoutchouc, disparaître dans l'arrière-train de leur grand frère de dix-sept ans. L'examen de contrôle terminé, ils l'accompagnent pour une courte promenade derrière le bâtiment. Ils le font avec prudence et compassion, comme on promène un aïeul convalescent dans le jardin de sa maison de repos.

Je les ai laissés tous les trois pour aller m'accroupir au bord du lac et y déverser mes larmes… Des larmes douces, lentes, de celles qui coulent aussi à l'intérieur. Et puis il y a eu un cri, comme un appel de là-haut. J'ai levé les yeux au ciel, une escouade d'oies sauvages en partance semblait me saluer. Elles ont fait une grande demi-volte, comme une figure de manège, avant de disparaître dans le lointain. Au gré des vents, toujours en mouvement, ai-je pensé, sans toit ni tombe, la migration des Zingaros !

J'ai toujours veillé depuis à ce qu'il y ait au moins une oie dans chaque spectacle.

*

Celui qui fut le gardien du nom, la mémoire vivante de ce théâtre équestre, ne revit jamais Aubervilliers. Du New Jersey ne revint que ce bocal de faïence noire. Il est là, sur mon bureau, devant le dessin à l'encre de Chine d'Ernest Pignon-Ernest le montrant assis, antérieurs tendus, l'encolure en arc-en-ciel, l'air pensif.

Le couvercle est entouré d'une tresse de ses crins. Il contient des petits éclats d'os et des cendres…

Elles attendent patiemment de rejoindre les miennes.

Au milieu de la nuit, je marche seul dans la piste.
Sa présence m'entoure et me rend triste.

RYTON REGENT

Servir avec noblesse

Assis sur les marches de bois, j'avale mon sandwich à la sauvette. Courte pause dans les répétitions. Je suis fatigué, une bonne fatigue, portée par l'envie de faire. Ce soir je m'écroulerai épuisé, et ma compagne l'insomnie rendra les armes. Je dormirai… Peut-être.

Il me regarde depuis son box, c'est un colosse en socquettes blanches, un géant d'un mètre quatre-vingt-douze. Sa tête busquée est fendue de blanc et ses longs crins ondulent à marée noire. De robe baie brune, il affiche quatre balzanes qu'il a velues jusqu'à couvrir ses sabots. Il se nomme Ryton Regent, il est né de l'autre côté de la Manche. C'est un shire. À Londres, ceux de sa race font la tournée des pubs, ils tractent avec nonchalance de lourds fardiers qui transportent en fûts la sacro-sainte Guinness.

Harnaché de son collier de cuir et de ses harnais de trait, il lèche sa mangeoire vide pendant que j'engloutis mon jambon-beurre. Avec lui, je me sens comme un paysan partageant le labeur, le repas et le fardeau des jours. Il y a dans son regard humble la noblesse de ceux qui affrontent la vie en face et accomplissent sans jamais reculer les tâches qu'on leur assigne.

Depuis presque vingt ans, en valeureux grognard il est de toutes les batailles. Attelé au corbillard alambic du *Cabaret équestre*, il a servi le vin chaud, plus tard il a transporté au galop sur son dos cinq micos enlacés tant bien que mal et hystériques de bonheur. Dans l'*Opéra équestre*, il cadençait dans l'élan une génération de jeunes voltigeurs imberbes et bondissants. Une écuyère indienne a joué des *kartals* perchée sur son dos, comme sur un nuage, c'était le temps de *Chimère*. Dans *Éclipse*, une princesse noire en éventail s'épanchait au pas sur son échine. D'un pas détaché et cérémonieux, il a paradé au son du carillon, d'Avignon à Los Angeles, de Spolète à Moscou. Il va maintenant herser les trois temps de *Triptyk* et servir avec abnégation cavaliers néophytes, danseurs et musiciens…

Jamais malade. Toujours partant. Il est le servant, celui sur qui on peut compter. Celui que l'on connaît et que l'on néglige de reconnaître.

Derrière ses barreaux il m'observe, résigné il accomplit son destin. Je me demande s'il m'en veut de l'avoir enrôlé dans cette comédie humaine, de l'avoir adoubé comme l'un des nôtres et en l'humanisant de l'avoir fait prolétaire. L'animal peut-il, comme nous les hommes, s'accomplir dans le travail ?

Mon casse-croûte terminé, je retourne en répète.

À Zingaro, hommes et chevaux vivent sans comprendre, sans chercher à savoir.

NORD, SUD, EST, OUEST

Le sauvetage

— *¡Hola Pícaro! ¿Qué tal tu mula?*

Sur son trottoir, entouré de ses fidèles, devant le café Arguel sur la place de Barajas Pueblo, un verre de *fino* à la main, sa canne en merisier dans l'autre, il est éternel. Nous nous sommes quittés ici même il y a vingt-deux ans et il me salue comme si c'était hier.

Son corps longiligne s'est un peu affaissé, son visage hâlé est fripé comme une pomme gâtée, mais sa célèbre moustache garde sa couleur de jais grâce à une teinture méticuleuse. Il porte un veston prune à parements vert olive légèrement élimé, un pantalon tête de nègre dont le pli irréprochable plonge droit dans un ourlet à revers surligné d'une couture apparente. Son chapeau cordouan est cerclé d'un ruban jaune encadré de rouge, aux couleurs du drapeau espagnol.

El Bigote a toujours la classe !

Voilà plus de trente ans que ce maquignon aux allures d'aristo règne sur tout l'est de Madrid, d'Alcobendas à Alcalá de Henares. En bon gitan, il connaît les goûts et la situation financière de chacun de ses clients potentiels ; il sait attendre le moment pour acheter et pour vendre.

J'avais gagné son estime en travaillant les chevaux qu'il m'avait confiés et en soignant ses rapaces. Pour lui, un jeune homme vivant en caravane capable de dresser un cheval, un aigle botté et une buse à queue rousse ne pouvait être qu'un *pícaro* – en me donnant ce surnom, il m'avait adoubé. Avant de rentrer en France, je lui avais acheté une mule ; c'était il y a plus de vingt ans, pour lui c'était hier.

Ce matin, je suis venu pas peu fier pour l'inviter au spectacle et voir s'il avait un bon cheval à me vendre. Mais l'homme à la mémoire obsessionnelle n'a que faire d'un Bartabas de retour à Madrid et de son chapiteau Zingaro à la Casa de Campo. Il reste maître de son temps et de son royaume, c'est donc au Pícaro qu'il trouvera un cheval à sa convenance.

— *¡Vamos a la finca!*

Derrière un portail anonyme gardé par de grosses chaînes cadenassées se cache son domaine. Construit sur une petite colline, son *picadero* tout en brique rouge surplombe un campement de tôle et de torchis qu'il faut traverser. Un ensemble de cages et d'abris de fortune, où vivent une quantité invraisemblable d'espèces animales. S'y côtoient pêle-mêle un chenil de lévriers afghans au torse en forme de harpe, un poulailler d'oiseaux à plumes extravagantes, des clapiers à lièvres, des ragondins, des furets, un mara de Patagonie. De cette favela émane un parfum audacieux, savant mélange de fientes, de poils, de plumes et de purin acide. Un enclos saumâtre héberge des cochons du Vietnam qui se poursuivent entre les pattes d'un énorme verrat. Dans le quartier mitoyen résident un renard, deux loups en cage, un lama, trois bouquetins, un taureau *manso*, et là-haut sur le tas de fumier à l'entrée de l'écurie un grand duc aux paupières lourdes qui me fait de l'œil.

Même couverts de merde, ils ont tous l'éclat de l'enfance, et le hobereau à la silhouette de Giacometti dont je suis les pas m'apparaît tel le grand Coësre dans la cour des Miracles. Il marche impassible, sa coupe de vin pâle à la main, évitant soigneusement les flaques de boue qui pourraient tacher ses bottines de cuir acajou. Il va comme le roi des argotiers, traversant les salons d'honneur de la *Casa real*. Une fois dans l'écurie, il décline avec une fausse négligence sa cavalerie. Il a l'œil pour arranger les *colinos* et mettre les voleurs en valeur. Mais voilà, quand on se met en chasse d'un nouvel amant, il faut être disponible, avoir l'esprit curieux et le cœur léger.

J'en essaye quelques-uns dans sa petite arène de bastaing, et chaque fois je mets pied à terre. Depuis la mort de mon frison, je cours après le cheval que je connais déjà, et bien sûr je ne le trouve pas. Je comprends ce faisant que je devrai me soumettre au diktat des cœurs endeuillés.

El Bigote vante sa came avec enthousiasme et par respect je fais mon possible pour m'intéresser. C'est alors que j'aperçois derrière le *picadero*, dans les vestiges de ce qui a dû servir de toril, coincé à l'ombre d'un recoin de mur, les pieds dans la boue, une créature protéiforme à peau rose.

Elle se meut par à-coups, de manière désordonnée, sans direction précise, et semble changer de volume à volonté. Elle s'immobilise au bord de l'ombre, apparaissent alors huit yeux bleus et autant d'oreilles qui m'observent. Je m'approche ; aimantés l'un à l'autre pour se rassurer, ce sont presque des chevaux…

— *¡Eh Pícaro, ¿te gustan los potritos?!*

Ces quatre pauvres petits poulains d'à peine un an, rachitiques et galeux, sont nés au Portugal. Et voilà qu'ils me sortent le cœur de sa léthargie. Je me sens pousser des ailes. Oui, je serai l'ange qui arrête le bras armé d'Abraham sur la gorge du bélier ! Je serai l'abbé Pierre des chevaux de misère. Je leur donnerai un toit et forcerai leur destin.

J'étais venu trouver un cheval pour enfourcher mon désir de paraître, et je m'enfuis avec quatre nouveau-nés affamés, quatre poulains crème aux yeux bleus. Pour donner une destinée à ces quadruplés, je les nommerai Nord, Sud, Est, Ouest.

— *¡Hasta luego Pícaro!*

Sur son trottoir, entouré de ses fidèles, El Bigote me salue de son verre presque vide.

— *¡Adios Jefe!*

Je lui réponds depuis la cabine de mon camion.

J’avance au hasard.
J’ai du mal à me suivre.
Je suis attelé à un cheval mort.

NORD, SUD, EST, OUEST

Des êtres en devenir

De retour au campement avec mon butin, je suis la risée de toute la tribu. Qu'allons-nous faire de ces êtres en devenir ? Trois années seront nécessaires pour les élever, avant même d'entamer leur débourrage. Les répétitions de *Triptyk* ont commencé depuis quelques mois. Ils sont trop jeunes pour recevoir un enseignement, jouer ensemble est leur seul savoir-faire. Qu'à cela ne tienne ! La piste sera pour eux une cour de récréation.

*

Introduction de la deuxième partie du *Sacre du printemps*. Ils apparaissent, innocents dans leur robe laiteuse, crinière et queue rasées, porcelaine céleste du Sichuan. Ils se mordillent à petites dents, se cabrent et se tournent, se provoquent et s'ignorent. Autour d'un totem humain, ils se couchent en roulades dans le sable ocre et leur peau rose s'enflamme dans l'aurore printanière.

Le génie d'Igor Stravinsky transportera *Triptyk* durant trois ans, du nord au sud et d'est en ouest, de Paris à Moscou et jusqu'à Los Angeles, revanche sur le destin ; nos quatre poulains aux noms cardinaux en seront l'attraction singulière.

*

La compassion est un moteur pour révéler son prochain, elle implique une responsabilité et développe une force intérieure, elle m'inspire et me porte sur le chemin de la création. Je ne suis pas sûr de moi, mais j'ai foi en mes convictions.

Zingaro est une tribu en action. Les êtres s'y révèlent dans le mouvement même de leur vie concrète.

HORIZONTE

Le deuil

Inséré entre *Le Sacre du printemps* et la *Symphonie de psaumes* d'Igor Stravinsky, le *Dialogue de l'ombre double* de Pierre Boulez boucle le triptyque.

C'est le temps du deuil.

Zingaro envolé, j'ai quitté Quixote, Vinaigre, Gamo, Félix. Ensemble nous étions devenus visibles, mais je devenais prévisible. Je regretterai plus tard de n'avoir pas su vieillir avec eux.

Pour la première fois, je ne suis que chorégraphe, le temps de revenir porté par de nouvelles idylles.

Sonne le carillon.

En clôture du spectacle, dans un déluge de cloches, j'apparais sur Horizonte en guise de *De profundis*. Perché au sommet du dôme écarlate, il livre en épitaphe un piaffer d'anthologie.

Deux minutes trente, plus de cent quatre-vingts battues dans une cadence de métronome. Il a huit ans et son piaffer a trouvé sa rondeur. Il m'impressionne. Tout en descente de jambe, je ne l'effleure même pas des mollets ; il est animé par la seule volonté de se jouer de cet air d'école. Tout en descente de main, je l'accompagne comme on prend le pouls d'un patient.

Chaque battue invite la suivante dans un rebond sans fin.

Sonne le tocsin.

L'été, la campagne devenait un monde magique qui recelait des trésors pour l'enfant que j'étais. Avec mes frères et les gamins du village, nous la parcourions comme un troupeau sauvage.

En liberté non surveillée, nous nous inventions au débotté. Tour à tour Davy Crockett, Thierry la Fronde ou Ivanhoé, nous jouions en autarcie, les branches des noisetiers pour les arcs et les flèches, le buis pour les couronnes, les noix pour les lance-pierres. Les sarments de vigne devenaient tour à tour des haches de Vikings et le fusil à canon scié de Josh Randall. Les meules de paille étaient nos châteaux forts, et de la cime des arbres on apercevait Moby Dick. Notre aire de jeu n'avait qu'une limite : une immense carrière de pierres qui s'effondrait à pic en déchirant la terre ; on l'appelait le bout du monde. Et même de là, aux confins du continent, on entendait sonner la cloche !

La cloche accrochée au mur de la maison des grands-parents. Elle nous intimait tous les soirs, à mes frères et à moi, l'ordre de rentrer au bercail. La mort dans l'âme et la honte au front, j'abandonnais mes camarades de jeu pour retrouver la table des adultes.

On dit que seuls les enfants et les animaux jouent ; les autres, ceux qui font semblant, on les appelle des comédiens.

Sonnent les cloches.

Chaque soir, à la fin du spectacle, elles invitent le public à quitter les lieux. Moi, je reste le front haut, emmené par l'insouciance d'un cheval qui se nomme Horizonte.

J'irai toujours, confiant dans mes rêves, tant qu'il y aura des chevaux pour les porter.

Zingaro n'est plus.
La cloche peut toujours sonner,
je ne rentrerai pas dans la maison des morts.

LES CRIOLLOS PALOMINO

L'odyssée

Ils arrivèrent par la mer. Quinze criollos argentins hongres, tous palomino. Élevés dans la pampa par des gauchos, ils formaient une *troupije* et suivaient aveuglément leur marraine, une jument pie noir au regard de marâtre.

Avec un millier d'autres équidés, ils embarquèrent au départ de Buenos Aires en direction de Bari, pour un périple de quarante jours à bord du *Foyle Argentina.* Cet ancien vraquier, recyclé en bétaillère géante dans le chantier naval de Valparaíso, battait désormais pavillon chilien. Ils sont rares, ces ventrus capables d'abriter de quoi nourrir une ville entière ; sur les neuf cent quatre-vingts têtes qu'il fallait soigner durant la traversée, la plupart étaient destinées à la viande.

Les chevaux étaient parqués en liberté par groupes de trente environ selon la taille des paddocks, répartis sur trois niveaux jusqu'au fond de cale. On y descendait par des rampes étroites ; tout juste la largeur d'un cheval. Sous les plafonds plutôt bas, des conduits de fer-blanc grossièrement fendus servaient d'aération. Il n'y avait ni fenêtre ni hublot. Des plafonniers de verre grillagés diffusaient une lumière sépia. On se serait cru dans une vieille carte postale, avec ces palefreniers pakistanais et sri-lankais qui ne connaissaient des chevaux que les ballots de copeaux et de foin qu'ils éparpillaient à heure fixe. Chaque paddock était équipé d'un grand abreuvoir qu'ils remplissaient tous les jours à l'aide d'une lance d'incendie. Les sols souillés de copeaux sombres, d'urine et de crottin étaient lavés à grande eau une fois par semaine, et le purin déversé directement à la mer par des écoutilles.

Comme l'impose le règlement maritime, un vétérinaire supervisait la traversée. Seul Argentin du voyage, Eugenio était docteur à la retraite. Alcoolique et dépressif, il passa quasiment toute la traversée dans sa cabine, sirotant son « jus de pomme », avachi devant son téléviseur. Certains matins, dans un éclair de lucidité entre deux cuites, il montait sur le bastingage et tentait de pisser par-dessus bord. Le rossignol à l'air, il sifflotait des milongas et dans son regard vitreux on voyait la pampa.

La traversée fut compliquée ; la mer capricieuse eut ses états d'âme. Deux tempêtes coup sur coup eurent raison de trois chevaux à l'étage du bas. Comme il n'y avait pas de palan, les Sri-Lankais durent les découper à même le paddock, sur une bâche au milieu de leurs congénères. Ils portèrent les morceaux jusqu'au pont et les jetèrent par-dessus bord. D'autres chevaux s'étaient ouverts en tombant sur les abreuvoirs. Le « recouseux », un Philippin qui travaillait le cuir, referma les plaies et les aspergea de bleu de méthylène. Eugenio, ivre mort, s'était blessé en tombant dans sa cabine et ne sortait même plus.

*

Il y eut tout de même une fête pour Noël. Sur le pont supérieur, ils accrochèrent des guirlandes lumineuses sur les fils tendus où séchaient des maquereaux. Un baril d'huile coupé en deux dans la longueur fit office de barbecue. Sur les braises, on grilla un train de côtes de cheval, rescapé du découpage. Pour l'occasion ils firent sauter les scellés sur la cambuse et sortirent trois caisses de Salta Negra et une de Quilmes. Cette bière argentine en bouteille d'un litre sans capsule s'ouvrait sur un pas de vis. On but aussi la Gancia et le Fernet. Eugenio, aspiré par l'odeur de l'*asado*, se hissa hors de sa cabine dans un état comateux, sa propre bouteille de « jus de pomme » sous le bras ; il ne buvait que du whisky pur malt. Tard dans la nuit, il joua du bandonéon en récitant les étoiles et tous s'enlacèrent, saouls qu'ils étaient. Ils dansèrent le ventre plein de ceux qu'ils avaient nourri.

Dans les sous-sols obscurs, les chevaux somnolaient sans broncher, ils méditaient en soupirant. Durant toute la traversée, jamais il n'y eut chahut au sein du monastère maritime.

★

À l'approche des côtes italiennes, on n'eut pas le temps de vider une dernière fois le purin en mer, les gardes-côtes ayant rejoint le navire. Ils lui ordonnèrent de mouiller dans les eaux territoriales. Il y eut pour une partie de l'équipage des navettes jusqu'au port de Bari. À cause de formalités douanières et sanitaires, le *Foyle Argentina* stationna une semaine entière les moteurs en drapeau. Sans ventilation, la chaleur en bas devint vite suffocante et les mouches firent leur apparition. Par centaines, par milliers, elles énervaient les cuisses des criollos – qui comme la plupart des chevaux de la pampa avaient la queue coupée. Ne pouvant utiliser leur chasse-mouches naturel, ils sautillaient sans cesse d'un postérieur à l'autre. Mais elles ne renonçaient jamais. La commissure des lèvres et le tour des yeux avaient leur préférence pour se désaltérer et, quand elles n'étaient pas sur les chevaux, elles s'agglutinaient sur les plafonniers allumés par intermittence. Elles se débattaient dans les grillages, formant une sorte de voile qui finissait par obscurcir toute la pièce.

La chaleur, l'odeur de crottin, d'urine et de viscères mal lavés finissaient par pourrir l'atmosphère. Les Sri-Lankais, habitués à la moiteur, distribuaient leurs quartiers de foin, tout en chassant les mouches d'un geste calme, régulier, presque machinal. Le mouvement de leurs mains fines et courbées ne manquait pas d'élégance.

Enfin, le monstre accosta et les chevaux débarquèrent à la queue leu leu sur une longue passerelle, tout émoustillés de se retrouver à l'air libre. Une quarantaine de camions et bétaillères alignés sur le quai les attendaient. Certains partaient directement à l'abattoir, d'autres chez les gros maquignons de Milan ou de Rome.

Notre *troupije* héroïque embarqua pour Aubervilliers – encore mille sept cent trente-quatre kilomètres par la route.

⋆

Une fois chez nous, il a fallu presque une année pour qu'ils retrouvent un cycle de mue et le sommeil profond. De la Terre de Feu au fort d'Aubervilliers, ce fut pour eux une odyssée. En signe de respect nous les avons baptisés :

Apollon
Arès
Asclépios
Chronos
Déméter

Dionysos
Éros
Hadès
Héphaïstos
Hermès
Pan
Poséidon
Priape
Zeus
et leur marraine Héra !

*

Pris en main par les cavaliers acrobates de la troupe, ils deviendront des professionnels en voltige, en poste et en attelage. Leur statut de chevaux artistes polyvalents fera les beaux jours de Zingaro. On les verra même à Versailles sur le bassin de Neptune et au Grand Palais pour célébrer Hermès. Avec *Loungta*, *Darshan* et *Battuta*, ils voyageront dix années durant, d'Istanbul à Tokyo, de Moscou à Hong Kong. Mais ce sera cette fois par avion et en classe affaires !

Du New Jersey à Aubervilliers, il était loin et jour après jour je l'ai senti partir. Peut-être étions-nous arrivés au bout de notre histoire.

Oui, je le crois maintenant.

LE CARAVAGE

Invitation au voyage

Nous sommes face contre face. Tu es celui que j'attendais. Arrivé il y a quelques heures, plus curieux qu'inquiet, tu as mangé et tu t'es posé, magnifique dans ta robe isabelle. Je suis entré pour te voir et dans tes yeux je trouve la candeur, l'innocence et une certaine assurance, évidente, sans arrogance.

J'approche mes lèvres du bout de ton nez, il est doux comme la chair d'un coquelicot. Tu sens l'âtre et l'automne, la feuille brûlée et la réglisse aussi. De tes naseaux s'échappe un soupir qui m'invite au voyage. Ma main remonte sur le mur de ton chanfrein impassible, au bord d'un épi, une mare de lait. Je m'y baigne du bout des doigts.

Je rampe sous ton toupet et franchis le col entre tes deux oreilles dressées comme les piliers d'un arc. Me voilà entre la tempe et la nuque, derrière le rocher et les salières. J'effleure ce creux qui palpite et se gonfle au-dessus de chaque œil.

Ta gorge est un ravin baigné de lumière. Ma main descend sur ce versant propice et, la joue contre ton encolure, je laisse mon bras glisser sous les festons de ta crinière nattée. Sur ton épaule, ma main est un radeau ondulant au gré des vagues rocheuses ; muscles striés recouverts d'un fin tapis doré aux reflets changeants.

Plus bas, mes doigts s'écartent pour contourner ta châtaigne, récif de corne incongrue, et descendre en rappel la colonne de ton membre. Du bout des doigts, je peux sentir tes tendons s'émacier jusqu'à l'os du canon. J'épouse la rondeur du boulet, néglige l'ergot et le fanon pour emprunter la voie du paturon et atteindre ta couronne. Elle sacre la lisière du sabot qui comme un socle de marbre porte ta bête immense. Sous sa crête palpite le sang qui te nourrit.

Me voilà aérien, je parcours l'étendue de tes flancs, je franchis tes côtes une à une, le paysage défile sous mes doigts, j'éprouve et je vagabonde. Je dessine des cercles sur ta prairie isabelle. L'herbe y est courte, noire, dorée ou blanche.

Tu sembles apprécier que je me hisse et m'attarde sur ton garrot. Il est le roc surplombant le vaste plateau de ton dos, steppe brûlée, balayée par les vents. Je suis sur ton empire et avec le pouce et l'index je chevauche la chaîne dynastique de tes vertèbres. De chaque côté du sillon, je sens sous ta peau la sève de tes muscles.

Plus haut, plus loin ! Voici ta croupe et la pointe de la fesse. Allègrement, je franchis la dune d'Aden avec l'envie partagée de « trafiquer dans l'inconnu ». Maintenant il faut que tu sois docile. Me voilà dans la vallée de tes songes, j'engage mes bras entre tes cuisses. Douces sont les parois du couloir obscur. Je les caresse, tête baissée et paupières closes.

Parce que tu es mon nouveau maître et pour tes reflets clair-obscur, je te nomme Le Caravage.

Ce sera lui, ce sera lent, je sais que nous n'aurons pas trop de ce qu'il nous reste de vie pour nous apprendre.

Cette nuit, allongé nu sur mes draps, je respire mes doigts brouillés d'odeur. Longtemps mes mains se souviendront de ce voyage.

Pour le comprendre et travailler avec lui, je dois être moi, ignorer le rien et penser avec les fesses.

LE CARAVAGE

Bâtir une cathédrale

Il affiche l'élégance nonchalante de l'anglais, la rondeur et l'élévation de l'ibérique, l'intensité de l'arabe. Alliant harmonieusement les trois sangs, il se déplace avec une force peu commune, qu'il ne contrôle pas toujours. Longé, il explose parfois en ruades buissonnières qui aussitôt, de repentir, lui font rentrer la queue entre les jambes. Sa tête porte haut et son regard est d'or. Âgé de cinq ans, il sait la basse école. Ici commence notre histoire.

Avec Le Caravage, j'avance à cœur ouvert, riche de l'héritage des disparus, gonflé de l'amour qu'ils m'ont laissé. Sur le long chemin qui nous attend, je le suivrai pas à pas, je l'aiderai à aller droit devant. Je lui apprendrai à agir en maître de lui-même, et ferai de la légèreté un préalable à toute exigence.

Le Caravage sera mon stradivarius.

⋆

« Il n'y aura jamais de construction noble si l'architecte est ignoble » (Philippe Auguste).

Dresser un cheval en haute école, c'est bâtir une cathédrale. Des fondations à la flèche du transept, il faut beaucoup d'années, d'écoute et de persévérance. Comme le maître tailleur qui façonne chaque pierre, les regroupe par agrégats en fonction des contraintes spatiales et les marque du signe lapidaire, je devrai savoir chacun de ses muscles, chaque tendon, chaque articulation et leur implication dans les rouages de sa charpente en mouvement. Par une gymnastique quotidienne, je ferai disparaître ses raideurs pour tenter de rendre à l'ensemble son harmonie originelle.

Des guerres et des famines pourront interrompre le chantier, il prendra aussi des tournures hasardeuses au gré de l'intuition des hommes. J'aurai beau conduire le travail avec méthode, sans cesse je serai amené à réajuster l'édifice au gré des mutations de son corps. Un corps qui se dresse et se redresse à mesure que ses hanches s'abaissent et le portent avec plus d'assurance.

Je devrai veiller à ce que le poids de sa voûte, soutenu par les arcs, soit justement réparti sur les quatre colonnes de la croisée du transept. Je devrai aussi me plier à la géométrie, science des bâtisseurs, pour passer de l'épure à l'élévation.

Le dresseur est un maître d'œuvre, à ce titre seulement il est dépositaire d'un savoir. Il connaît les vertus du cercle pour tracer et lever les arcs et les voûtes. Je conduis Le Caravage dans la piste, où il ajuste l'arc de sa colonne. En éprouvant l'incurvation, son dos gagne en élasticité, il apprend à s'équilibrer et engage le postérieur interne sous la masse. Sa colonne vertébrale assure la liaison harmonieuse entre l'avant et l'arrière-main, comme la nef relie le narthex à l'abside.

*

Le Caravage apprend peu à peu à se rassembler, se grandir, se maintenir ainsi et s'exprimer par lui-même sur la simple pesanteur des rênes. Le tympan prend forme et l'on pourra bientôt accéder au triforium. Restera à le faire croître de l'intérieur.

L'énergie cosmique qui descend, dit-on, dans la pierre sacrée des cathédrales l'anime désormais quand il bondit au passage, les oreilles dressées, porté par l'arc de ses hanches, tout en rondeurs gothiques.

Orgueil de l'homme. Comme le style flamboyant magnifie la structure fonctionnelle en interprétant la convergence des forces, Le Caravage se joue de la mécanique du corps. Forme, élévation, mouvement mêmes disparaissent, reste un sentiment de fluidité, de légèreté céleste.

★

On prétend que les maîtres tailleurs et les architectes pouvaient faire chanter les cathédrales. D'un léger choc sur certaines pierres, ils provoquaient une onde sonore qui s'élevait jusque dans la voûte du chœur avant de s'échapper par le pyramidion. Le Caravage, lui, vibre comme le crin de l'archet. Au moindre frôlement de ma jambe, à l'engagement de ma ceinture ou seulement au sentiment qui m'anime, il s'élance a cappella. Son mouvement se cristallise en édifice… Un édifice régi par la grâce.

★

« Toute parole reçue que tu n'as pas transmise est une parole volée », enseignent les Compagnons. C'est la parole de Dolaci, de Vinaigre, de Gamo, de L'Araignée, de Quixote, d'Horizonte que je transmets au Caravage. Je suis un passeur d'expérience, comme ces architectes, artisans de la démesure, qui savaient que plusieurs vies seraient nécessaires à l'accomplissement de leur chef-d'œuvre.

Avec mes chevaux, dans la splendeur de mon destin, je pensais avoir embrassé une vocation qui tournait le dos à ma famille et mettait une distance définitive avec mon père. Je me rends compte aujourd'hui, alors qu'il n'est plus, qu'architecte et dresseur procèdent de la même filiation.

Dresser un cheval, c'est un travail de tous les jours. Une quête de l'absolu qui refuse l'abstrait et puise sa matière dans la beauté du geste.

Mais pour créer ce qui n'existe pas, il faut vivre dans l'insatisfaction permanente. Il faut savoir rester barbare.

LES SORRAÏAS

La capture

À toute berzingue, les deux jeeps slaloment entre les chênes-lièges à la poursuite des sauvageons. Ça grince de l'embrayage, ça gémit des pistons, nous hurlons dans l'allant en frappant les ridelles pour tenter de les rabattre. Drôle de chasse à courre au pays des écorces. Même les quatre lévriers de la ferme se sont rués à la curée, ils traquent les fuyards comme des coupe-jarrets affamés. Mais ceux-là savent rester groupés, et comme un banc de poissons, vifs et imprévisibles, changent de cap sans prévenir. Les jeeps ont du mal à les suivre. Depuis le toit, avec une longe en boucle à l'extrémité d'une *garrocha*, nous tentons d'en attraper au vol.

On se croirait dans *Daktari* à la poursuite du rhinocéros. Mais non, nous sommes dans l'Alentejo, sur les traces des derniers chevaux sauvages d'Europe.

*

Le matin, j'avais emboîté le pas à Olivier, un jeune cavalier français, amoureux du Portugal et passionné de *tourada*, qui maquignonne pour moi en amitié. Nous étions entrés à

La Fontalva, une ferme imposante, non loin d'Elvas, sur les terres de la famille Sommer d'Andrade.

En guise de vestibule, une vaste pièce au sol carrelé, sombre comme une chapelle le lundi. On distinguait des meubles de bois noir, et, révélée par un dard de lumière crue transperçant les volets mi-clos, une tête de taureau aux cornes menaçantes nous regardait sans nous voir. Par terre, appuyées au mur, deux caisses de *rejón* marquées du fer de la maison.

C'est ici que nous reçut le docteur José Luis Sommer d'Andrade, droit dans ses bottes de cuir fin. Mon ami et lui échangèrent en portugais. Je ne comprends rien à cette langue qui sans cesse se colle au palais, et d'où s'échappent parfois quelques bribes qui m'évoquent l'espagnol. Il s'exprimait avec courtoisie. Son œil gauche papillonnait sous un sourcil en broussaille, peut-être l'héritage d'une longue descendance consanguine.

Grands propriétaires terriens, les Sommer d'Andrade descendent d'une illustre lignée d'écuyers et de cavaliers tauromachiques. L'aïeul, Carlos d'Andrade, fut l'auteur d'un célèbre traité de dressage proche de celui de La Guérinière, et, en 1920, Ruy d'Andrade découvrit dans la vallée do Sorraia une race de chevaux que l'on pensait éteinte : les sorraïas, ces tout petits chevaux « préhistoriques », sans doute ancêtres du lusitanien. Il n'en reste qu'un peu plus d'une centaine à ce jour, grâce à la Coudelaria Nacional qui assure leur survie. Si un d'Andrade avait sauvé cette race en déclin, le dernier du nom, qui nous parlait dans une langue que je ne comprenais pas, ne pouvait, lui, que constater la lente mais irréversible décadence de sa propre dynastie, commencée depuis la révolution, il y a deux générations. Son élevage de chevaux de pure race lusitanienne, autrefois célébrissime, sombrait dans l'oubli. Il avait aussi quelques juments sorraïas qu'il voulait garder et accepta de nous céder sept mâles.

Problème, ils vivaient depuis leur naissance en liberté dans les deux mille hectares de sa propriété entre les chênes-lièges, les pins et les bovins qui lui rapportaient encore un revenu substantiel. Il nous suffisait de les trouver, les regrouper et enfin les capturer ! « Mon majoral et mes employés de ferme vous donneront un coup de main… *Obrigado !* »

*

Les lévriers ont renoncé ; la langue pendante et les flancs creux, ils sont retournés au chenil. Le soleil décline et même les jeeps n'en peuvent plus, l'embrayage sent la pizza brûlée. Si les bêtes sont maintenant regroupées, il nous est toujours impossible de les approcher, a fortiori de les attraper. Le majoral dépité revient avec la carabine. Sept coups de feu claquent et grandissent dans les collines. Tirs anesthésiques. Nous suivons nos petits sorraïas en zigzag qui s'affaissent et tombent sous la loi de la pesanteur. Pendant qu'ils dorment sur le flanc, nous leur ajustons un licol et des entraves. Je peux enfin détailler leur manteau de poil. C'est une robe *grullo*, qui réunit à elle seule une vraie ménagerie : gris souris avec des yeux de biche, une raie de mulet et des zébrures sur les membres, les crins et la queue de putois.

Nous ramenons notre camion, une vieille bétaillère sans toit, restée à la ferme. À peine sont-ils réveillés, dans un état comateux, que nous les chargeons tant bien que mal. Nous laissons les licols et quittons les entraves. Le soleil couchant nous inonde de profil, on se congratule, les pognes pleines de terre. Pas peu fiers en vérité. Avec le sentiment du travail accompli, nos hôtes s'éloignent dans leur jeep, mon ami et moi-même montons en cabine. Un tour de clef et nous voilà partis. C'est alors que, surpris par le ronflement du moteur et le tangage du bahut, le plus sauvage d'entre eux, un mâle de six ans, saute de pied ferme hors du véhicule. Les bras ballants, nous le regardons disparaître au galop, rattrapé par la nuit.

Nous tentons sans succès de couvrir la bétaillère. Avec sa bâche au vent, ses ridelles tremblantes et les cordes du pont remontant jusqu'à la cabine, notre attelage ressemble à un vaisseau en perdition. Nous décidons d'emprunter des chemins de traverse et d'éviter les autoroutes. Ils sont six passagers à ciel ouvert, debout sur le pont, à contempler la traversée.

Après l'avoir longé jusqu'à Coimbra, nous traversons le Mondego. Plus tard, dans l'estuaire de Porto, nous suivons le Douro et sa vallée de vignobles. En Espagne, vers Saragosse, nous franchissons le pont de pierre sur l'Èbre majestueux, puis c'est la Garonne, la Loire et la Seine familière. Nous longeons le canal Saint-Martin et nous voilà dans les douves d'Aubervilliers.

En les voyant débarquer, sauvages mais fatigués, j'imagine les chevaux des conquistadors arrivant sur les côtes d'Amérique après une traversée épique conduite par un Portugais. Eux aussi pouvaient être fiers de leur transhumance, imposée par des hommes assoiffés de conquête.

*

Après une étape au théâtre du Châtelet, où derrière un tulle de soie ils rejouent leur propre échappée dans les paysages aperçus par Victor Segalen, ils rejoindront les écuyères de Versailles. Là-bas, ils seront baptisés : Pluton, Vénus, Mercure, Mars, Saturne et Jupiter. Menés aux longues rênes, ils assurent désormais la renommée de l'Académie équestre nationale du domaine de Versailles aux côtés de leurs descendants lusitaniens aux yeux bleus.

Tous ont appris un langage que je comprends !

Ils sont mon savoir.
Comment le transmettre
si ce n’est en apparaissant ?

LE CARAVAGE

Psalmodie

Ils sont venus à ma rencontre dans leurs vastes robes pourpres. Ils ont le regard de ceux qui ont donné sens à leur vie. Pour les moines tibétains du monastère de Gyütö, réfugiés sur le versant indien de l'Himalaya, la musique n'est pas un ornement. Elle n'a pas pour but de susciter une émotion, mais plutôt de nous engager dans un état mental de perception. Chaque instrument, chaque note chantée, chaque mantra psalmodié m'invitent à accorder mon corps au mouvement de mon âme. En les entendant, je suis né au monde des sons.

⋆

Sous le temple de toile aux normes antisismiques, dressé pour l'occasion à l'est de Tokyo, face au très chic musée d'art contemporain, moines et chevaux célèbrent *Loungta*, dernière création du théâtre Zingaro.

Autour de la cloche de tulle qui couvre la piste de safran, leurs voix de buffles font tournoyer lentement les volutes d'encens. Comme eux, je vais bras nus et paupières closes ; avec Le Caravage, nous entrons en psalmodie. Liturgie taciturne dans un moulin de prières, pas d'école suspendu par la grâce de notre union. Rien à retenir, sinon ce pas, sans commencement ni fin. Un appuyer qui se meut dans la justesse et renouvelle ses lignes, toujours en équilibre. Pèlerins de l'absolu, sous la voûte céleste, nous fabriquons du néant…

Pour un cheval de sa taille, se mouvoir avec aisance dans cet espace restreint demande une totale décontraction. Volte au galop, hanche en dedans, changement de pied, et encore hanche en dedans à l'autre main. Il a le galop doux et garde son unité quand il va de côté. Je peux voir le tulle frémir en cadence au souffle de ses naseaux. Le cercle est sans issue et s'apparente au *saṃsāra*. Transition au passage, serpentine dans l'allure, transition au piaffer, sa pirouette nous réunit. Nous sommes notre métamorphose. En elle se rencontrent mes disparus, sans eux je ne suis rien, avec lui je suis moi. Nous écoutons le chant qui se diffuse en nous.

⋆

Ce que nous avons appris et compris ensemble, Le Caravage et moi, fait notre richesse. Elle n'appartient qu'à nous.

C'est un appuyer au passage
qui glisse en vagues moelleuses.
Quand je monte Le Caravage,
je m'applique à le suivre,
je n'ai plus envie de dire *je*,
ni d'exister socialement.

ZANZIBAR

Extase

« Un bon quarter horse est un cheval qui pense avec son cul ! » La santiag éperonnée appuyée sur la barrière du corral, le menton sur l'avant-bras et le chewing-gum en action, le cow-boy m'explique ses protégés. Ce sont des quarter horses ; les chevaux les plus rapides du monde sur un quatre cents mètres départ arrêté. Pour appuyer ses dires, il agite son chapeau et siffle un « *Yeeeha !* » digne des Misfits. Les poulains surpris exécutent deux ou trois *quiebros* assis sur les hanches et, les jarrets tutoyant le sable, se propulsent comme des hors-bord. Effectivement, ce sont de vraies tractions arrière !

L'objet de mes désirs s'appelle Zanzibar. C'est une bête de concours : une croupe qui déménage, un poitrail et des épaules de colosse bodybuildé, il est petit, trapu, puissant et vif. Avec sa boule à zéro, ses narines amples, son œil noir et ses sourcils en circonflexe, il a des airs de Mike Tyson. Son pelage est gris-blanc, truité de feux follets, des milliers de têtards bruns dans un champ de neige.

Ancien cheval de *reining*, il est toujours sur ses gardes, a peur de son ombre et de l'ombre de sa couverture. Il a subi la loi des compétiteurs en stetson. Cet apprentissage, sous couvert d'éthologie appliquée, n'est qu'un abrutissement par d'incessants stimuli qui finissent parfois par mettre le cheval dans un état de stress irréversible. Avec lui, je dois toujours rester prudent, car il a la volte-face foudroyante. Mais j'aime son caractère, il est franc et peut même être drôle quand il plonge son nez dans son seau jusqu'à mi-chanfrein et joue le triton en soufflant des narines.

Il faudra beaucoup de prévenance pour gagner sa confiance et lui apprendre à respirer dans la profondeur. Les moines tibétains, invités pour *Loungta*, seront pour lui d'un secours providentiel. Entendre au quotidien leur chant lui permettra d'acquérir une certaine zénitude.

*

Nous travaillons le spin. C'est une figure où le cheval pirouette au trot autour d'un postérieur, plus ou moins fixe. Elle s'exécute en compétition sur quatre tours très rapides aux deux mains, suivis d'un arrêt brusque.

Je l'invite à décomposer son mouvement et à l'exécuter avec la lenteur et la grâce d'un derviche. Il doit garder son poids sur le postérieur extérieur qui reste vissé au sol pendant que l'autre dessine en tournant tout autour un carré parfait.

Zanzibar se relâche peu à peu et s'engage, impavide, dans une rotation régulière. Avec moi il s'abandonne. L'absence d'effort efface le temps.

*

Loungta, les chevaux de vent. Le rituel des moines du monastère de Gyütö envoûte le spectacle.

Avec Zanzibar, dans un élan sans fin, je m'offre à l'expérience. Les voix abyssales des moines tibétains m'enveloppent et m'élèvent dans des contrées lointaines. Je suis un chamane emporté dans un voyage d'extase. Ensemble nous entrons dans un monde qu'il m'est difficile d'expliquer. Une recherche transcendantale du *nous* au-delà des limites spatiales et temporelles, qui traduirait le sentiment originel d'un manque, d'une coupure d'avec l'être. Nous sommes le temps, l'univers tout entier, et je prends conscience de l'indicible mystère de l'animal psychopompe qui me transporte.

À Zingaro, je me sens parfois entouré de trop d'humains… trop de besoin d'amour.

Les chevaux, eux, n'exigent rien de moi.

DOUZE CHEVAUX

Croisière au Châtelet

Sentinelle dans la nuit, je guette le moindre bruit. Depuis ma loge, dans les retours du plateau, j'entends leurs corps chuchoter.

D'abord, il y a les sorraïas. À six dans leur stabulation, les petits êtres se chamaillent, bousculades par à-coups, morsures étouffées. Et puis ce râle, sourd, contenu, espacé. Les incisives sur la mangeoire, c'est Soutine qui tique à l'appui, il angoisse dans ce lieu seulement habité de silence. Pour lui, je souhaitais diffuser des chants d'oiseaux, mais ils n'ont pas voulu : la régie devait rester éteinte en dehors des heures de travail.

Celui qui gratte avec détermination et frappe du sabot sur la paroi de bois, c'est Le Caravage. Il prépare son matelas de copeaux pour y laisser choir son grand corps. J'ai toujours peur que dans cet espace confiné il se coince le dos en se relevant. Plus subtil, le chuintement aquatique d'Horizonte qui se gargarise ; parfois, c'est Zanzibar qui prend le relais en jouant du cor de chasse dans son seau d'eau. Lobero laisse échapper au hasard un soupir mélancolique. Quant à Pantruche, j'entends bien qu'il se prive de dormir. C'est son baptême d'artiste et il est sur le qui-vive. La première nuit, il a adressé aux cintres un hennissement en forme de tirade, qui m'a fait sursauter jusque dans ma chambre d'hôte, deux étages plus haut.

Ils sont douze à s'être embarqués dans l'aventure : Horizonte, Le Caravage, Zanzibar, Soutine, Pantruche et Lobero, son ombre blanche ; à ma garde rapprochée se sont joints les six sorraïas encore anonymes. Tous nous avons signé pour une traversée de trente-trois jours fermes au théâtre du Châtelet.

À peine débarqués, les chevaux se sont emparés du vaisseau. Pour installer les écuries démontables, on a vidé les dégagements à cour et jardin. Dans les coulisses depuis leurs box, ils peuvent ainsi accéder directement à la scène. Le lointain aussi a été dégagé de tout décor, pour offrir la profondeur nécessaire à leurs évolutions. Le monte-charge qui leur a servi d'ascenseur est maintenant aménagé en douche pour équidés, et le foyer fait office de sellerie. Quant à moi, j'ai réquisitionné une loge pour en faire ma demeure.

Une semaine de répétitions, suivie de trois semaines de représentations devant le Tout-Paris ! Cette croisière picturale à travers les mots voyageurs de Victor Segalen est notre première tentative dans une salle à l'italienne. Il nous faudra jouer de la croupe et du poitrail et, de cour à jardin, oser des diagonales et des galops sur place.

*

Durant les répétitions, toutes les nuits, je reste seul à bord. Transporté par l'excitation de cette aventure immobile, je précède toujours mon réveil. Après une balade somnambule dans les étages souterrains à la recherche du fantôme de Sarah Bernhardt, je sors deux chevaux en cachette. Pantruche est de chaque petit matin et toujours le premier

– suivi d'un autre à tour de rôle. Moins expérimenté, il lui faut plus de temps pour comprendre l'exercice. Dans le silence de l'aube, sur le rideau de fer baissé, nous écoutons notre ombre à la lueur de la servante. Sur le sable noir qui recouvre la scène, nous écrivons notre histoire. Il est même arrivé qu'une nuit sur Le Caravage, face au mur d'acier, je chante à tue-tête les vers du poète, avec pour seul spectateur des oreilles pointées à cour et jardin. Jamais, de mémoire de sentinelle, on n'avait vu un être bicéphale s'enflammer ainsi.

Neuf heures pétantes. L'équipage débarque sur le pont, les techniciens sont à la manœuvre, on allume les services, on lève le rideau de fer comme on hisse la grand-voile et l'on charge les tulles sur les perches appuyées depuis les cintres. Ça brasse de toutes parts. Musiciens dans la fosse, lumières et effets sonores, tout doit s'ordonner. Je suis le capitaine qui tonne et qui gronde, âpre et malhabile avec ceux de mon espèce.

Aux premières loges, les chevaux observent ces humains qui s'agitent sans prévenance. Eux ne sortiront pas aujourd'hui, ils me voient dans la lumière marquer leurs pas de mes propres pieds. Ils ont compris mon manège, ils connaissent déjà leur rôle.

Et c'est ainsi qu'*Entr'aperçu* fut créé en sept jours… et sept nuits !

⋆

Jamais je ne me suis senti si proche, si fier, si solidaire de mes chevaux. Eux et moi étions en terre inconnue, nous nous sommes rassurés tous les soirs devant cette grande bouche sombre et béante où l'on pouvait sentir l'odeur des hommes. Mais de tous les mots qui furent dits là-bas, ceux écoutés chaque nuit à la lueur de la servante m'inspirent encore.

Monter à cheval,
c'est partager sa solitude.

HORIZONTE

Entr'aperçu

J'existe dans la Ténèbre : il n'est plus en moi ou hors de moi qu'une même obscurité... Je répudie les relents du jour, je renie l'usage de mes yeux, et fortement, sans vertige ni fièvre, je m'abandonne à la grande obscurité[1].

Sur la scène du Châtelet, j'entends ma voix dire les vers de Victor Segalen. Immobile dans l'obscurité, je suis sur Horizonte. Nous nous sentons étrangers à ce lieu et ce sentiment nous unit.

L'immense rideau noir s'échappe à l'allemande, tout là-haut dans les cintres. Derrière le cyclo, le cinq-kilos bleuté nous aveugle. C'est le signal, Horizonte s'avance avec détermination ; imprégnés des mots du poète voyageur, nous entrons dans l'ombre chinoise.

Je me confie en vous, Ténèbres...
Si lente, que je la précède, la nuit marche. Elle veut conquérir le

1. Extrait de *Briques et tuiles* de Victor Segalen, Fata Morgana, 1967, in *Œuvres complètes*, t. II, Robert Laffont, « Bouquins », 1995.

ciel. Mais je sais que sa route est longue ; et j'ai foi en ces reflets attardés sur les nues… [1].

Avec lui je ne suis plus seul dans ma peau, Horizonte danse pour moi, peu à peu il se livre et se délivre, et je ressens quelque chose de très haut. Il est rassemblé ; ses mouvements se libèrent désormais de la contrainte de son poids, il y a de la douceur dans son geste. Sa cadence, il l'installe lui-même, métronomique, vibrante, presque swinguée. Passage, piaffer, passage en arrière, le temps de suspension de chaque diagonal est un espace que j'accueille au creux de mes reins. Les rênes en guirlande, ses oreilles restent le point le plus haut, l'encolure légèrement ployée, le chanfrein bien en avant de la verticale, jamais il ne s'émeut.

Vertigineuse est ma descente de jambe et de main ; je me laisse faire, j'ouvre mon corps et mon cœur à sa confidence… Une énergie bien comprise jamais ne s'épuise.

Je formerai donc un être équivoque, ni génie, ni mort, ni vivant. Entends-moi (…)

S'il te plaît de battre des paupières, d'aspirer dans ta poitrine, et de frissonner sous ta peau, entends-moi :

Deviens mon Vampire, ami, et chaque nuit, sans trouble et sans hâte, gonfle-toi de la chaude boisson de mon cœur [2].

Ce qu'Horizonte m'a offert, j'ai su le recueillir, en prendre soin, le faire s'affirmer, grandir. Lui aussi a écrit l'histoire, l'histoire de Zingaro, et son piaffer en a donné le sens.

On peut être assis toute sa vie sur le dos d'un cheval et

1. Extrait de « Je me confie en vous, ténèbres », dans *Stèles* de Victor Segalen, in *Œuvres complètes*, t. II, *ibid.*

2. Extrait de « Vampire », dans *Stèles* de Victor Segalen, *ibid.*

n'aller nulle part, Horizonte m'a emporté aux confins de l'imaginable. Il m'a ouvert l'accès à l'espace magique de la scène, j'ai pu y déposer des propositions plus audacieuses, plus intimes. Sans les chevaux, jamais je n'aurais osé fouler ces lieux où l'on n'entend que la voix des hommes.

En se livrant corps et âme, le cheval m'offre la clef de mon théâtre intérieur.

PANTRUCHE

Rendez-vous manqué

Sous un ciel de flammes, dans une eau interdite, flottent des chevaux morts. Leurs ventres ronds bombent au soleil. Pinceau à la main, je m'approche du tableau. Les flammes du ciel entrent dans ma bouche. J'ai soif. Le lac pleure et je bois ses larmes. L'eau s'en va, la terre sèche, des corbeaux assis sur les carcasses ventrues s'apostrophent. Comme un vent qui se lève, ils croassent à tire-d'aile.

Je me réveille et fais taire mon téléphone portable qui aboie tout près.

— Bartabas… Je suis désolé… Son cœur n'a pas tenu, la colique était trop violente. Pantruche est mort. Allô ?…

Je raccroche. Je ne veux plus rien savoir. Par le lanterneau je peux voir les étoiles qui me fixent dans la nuit nue. Je suis à Rome, allongé dans ma caravane ; Pantruche, cheval en devenir, s'est éteint à Versailles. J'avais choisi de lui épargner une tournée italienne qui s'annonçait hasardeuse.

*

Il m'était tombé dessus sans prévenir. C'est le directeur du haras du Pin qui m'avait proposé de sauver de la réforme ce magnifique pur-sang anglais, bai, taillé à l'ancienne. Après une précoce et brillante carrière sur les obstacles d'Auteuil, il avait été acheté comme étalon par les Haras nationaux. L'animal s'étant révélé stérile, il fut remis à la compétition, sans succès. Réformé, il n'avait plus d'horizon.

Connu sur les pistes d'entraînement pour embarquer ses cavaliers du matin, il n'en aurait que plus d'impulsion une fois rassemblé – encore fallait-il qu'il ne soit pas mû par la peur ou la douleur.

De longs mois passèrent avant qu'il accepte d'entendre qu'un travail bien mené, dans le respect de la progression du corps et de la pensée, loin d'être une cause de souffrance, pouvait être source de plaisir. Arrivé à cette étape de ma vie, je lui ai accordé tout mon savoir. Rendre sa fierté à cet exploité des champs de course était mon moteur. Il serait mon chef-d'œuvre… La vie en décida autrement.

Amertume d'un rendez-vous manqué ; il restera pour moi une histoire au goût d'inachevé. Notre amour fut sidéré avant d'avoir pu prendre son envol. Il m'aurait emmené là où j'étais prêt à me rendre, dans la simplicité de l'aube éclairant humblement ses pas.

*

Dans *Entr'aperçu*, sur la scène du Châtelet, nous avons été « dignes de pousser quelques étapes dans un sol gros de souvenirs antiques ». Là-bas, tout juste avons-nous parcouru quelques régions « neuves, sauvages, simples et touffues[1] ». De cette aventure, il ne me reste que des images tremblées… Jamais tu ne goûteras au *Lever de soleil* que pour toi j'avais imaginé.

1. Victor Segalen, *Équipée*, L'Imaginaire / Gallimard, 1983.

*

Je n'ai pas eu le courage de connaître la fin de la plupart de mes chevaux. J'en ai tant perdu. Ils se sont enfouis. Mais Pantruche s'est blotti au creux de ma mémoire – je l'ai laissé derrière moi, pourtant il était ce que je suis.

Avec toi, je ne désirais ni montrer,
ni démontrer, ni étonner, ni persuader.
Je voulais juste être moi-même…
Nous-mêmes.

LE CARAVAGE

La blessure

C'est un matin semblable à beaucoup d'autres, un matin d'hiver. Tapi dans un coin du manège, le filmeur au nom prédestiné tentait, dans la froideur, de capter l'invisible.

La séance terminée, j'ai mis pied à terre. Je l'ai débridé, dessellé, et il se roule à présent dans le sable profond. Comme toujours, il s'ébroue et se fend d'une paire de coups de cul libérateurs. Il pique un galop et, au détour d'une volte-face, brusquement claudique et se fige. En croisant son regard, la selle sous le bras, je sens jusqu'au fond de ma moelle la corne du destin. L'animal me fait face, l'air penaud. Ses antérieurs tremblent et peinent à le porter. Sans accident, ni chute, ni coup, il arrive juste que le corps s'exprime, qu'il dise son refus de se battre davantage. Pour Le Caravage commence la guerre de Cent Ans.

Retour à l'écurie, palpation clinique, mes doigts passent et repassent fiévreusement sur ses membres ; ses tendons sont secs et froids, ses genoux aussi. Test de flexion : rien aux boulets ni aux paturons. Les sabots sont tièdes, je sonde la sole à l'aide d'une pince ; pas d'abcès déclaré. Peut-être fait-il une fourbure de la troisième phalange ?

Deux heures passent, Le Caravage peine maintenant à sortir du box. Lorsqu'il marche, il a perdu toute grâce.

Jamais je n'oublierai son regard incrédule. Alors que son corps dévoile sa faiblesse, l'expression de ses yeux, son attitude expriment son désir d'exister encore. J'ai compris ce jour-là qu'il savait son identité définie par le lien qui nous unissait. Cela m'affecta profondément.

Départ pour la clinique de Grosbois. Je vois s'éloigner le cul du camion, immatriculé CA777ZI.

*

Opéré le lendemain, il nous revient peu après, avec un pronostic réservé. Une bactérie anaérobie s'est développée dans ses deux pieds. On a ouvert ses sabots en pince aux deux tiers et cureté jusqu'à l'os. Les deux ouvertures, de la taille d'une main, bouchées par des compresses de betadine, sont recouvertes de bandages adhésifs qui enveloppent tout le pied. Une ferrure orthopédique permet l'appui et empêche au sabot de s'ouvrir sous la pression de son poids.

On ne peut aliter un cheval. Le voilà condamné à trois mois de box, sur pieds, sans sortir, puis trois mois de plus en main sur le dur, le temps que la corne repousse. Sa groom se transforme en infirmière : défaire quotidiennement le pansement, nettoyer jusqu'à l'os, désinfecter et refaire l'emballage. Pour qu'il reste calme, on l'a descendu dans l'écurie du bas, une écurie aveugle. L'animal est en chambre, seul avec lui-même.

Au même moment, *Battuta* sonne la charge ! Un spectacle en apnée au galop, plein de fureur et de joie. C'est pendant la nuit, quand tous sont endormis, peut-être portés par le branle de leur chevauchée à quatre temps, qu'il me reçoit chez lui.

À quoi pense-t-il ? Car je vois bien qu'il pense. Sans les repères du corps-à-corps, nous sommes devenus deux êtres mutiques. Mais au-delà du mouvement naturel qui le pousse à exprimer sa gratitude quand je lui gratte la base du garrot, je sens bien qu'une parole l'habite. Elle ne demande pas à être traduite, elle est faite d'attention et de silences. Elle m'encourage à la confidence.

À toi, dans l'écoute que la nuit inspire, je peux raconter la cime des arbres aperçus depuis le lit d'hôpital où je restais figé. C'était à Garches, dans le service du professeur Judet. Je peux te conter comment certains jours ils dansaient pour moi, avec quelle grâce leur feuillage printanier ondulait, porté par une brise que je devinais sans pouvoir la sentir sur ma peau. À toi seul je peux confier mes nuits d'alors, comment dans mon lit je volais d'un champ de course à l'autre, franchissant *brooks*, *open ditches*, oxers de futaie, banquettes et contre-bas. Je te décris les chutes vertigineuses dans les ravins sans fond, à cru sur un cheval de vent. T'explique pourquoi Māra, le démon nocturne, écrase les rêveurs, et comment la morphine devint ma compagne pour chevaucher les juments de la nuit.

Mais je parle et passent les semaines.

Le rituel s'installe et devient plus sensuel, chaque matin tu guettes le pas de ta groom. Elle t'apporte un sourire dans ses mains douces. Te voilà materné, comme je l'ai été. Hommes et bêtes, nous partageons ce besoin primitif de dépendance. Elle nous donne un sentiment de sécurité, flatte notre désir d'exister… Moi aussi, j'avais pris l'habitude de l'attendre, la visite du chirurgien en chef. Il apparaissait dans mon champ de vision entouré de sa cour en blouse blanche, toujours rassurant et affable. L'aiguille à tricoter qu'il enfonçait dans la plante de mon pied ne me faisait pas le moindre effet. Outre les plaques et les vis qu'il m'avait fixées aux jambes et à la cheville, il avait recousu tant bien que mal les chairs de mon pied éclaté comme une saucisse trop cuite. Pour l'heure, il fallait espérer qu'elles reprennent vie. Une seule question m'obsédait à chaque visite : pourrais-je remonter à cheval ?

*

L'hiver s'avance pas à pas. Chaque soir, les cordes et les cuivres des Carpates entraînent quarante-huit chevaux dans une farandole effrénée. Tard dans la nuit, à l'heure où les bipèdes sont sur le flanc, je te rejoins pour me raconter.

Je me souviens qu'à l'hôpital, après les premiers réconforts, très vite les visites de convenance m'étaient apparues incongrues. Je supportais mal l'impudeur d'avoir à se dire, à se plaindre ou à faire mine de s'intéresser dans ce contexte obligé. J'en ai gardé un penchant pour la solitude, j'aime me draper dans ce linceul qui me protège.

Cloîtré dans ton box depuis presque six mois, tu n'as plus de douleurs, mais tu souffres toujours de l'incapacité à être toi-même. Pourtant, c'est avec bienveillance que tu m'accueilles et m'invites à confesse.

J'avais à peine dix-sept ans ; en suspension sur ma mobylette je voyais déjà la rivière d'Auteuil, et soudain ce camion qui me double et ne garde pas sa ligne. Voici la chute et, en guise de peloton, douze tonnes de fer me passent sur le corps et me brisent les deux jambes. Sur le moment je n'ai rien senti… Même pas mal !

Mais je suis bavard, et ton écoute monastique. Parfois tu soupires quand je me répands trop.

« Ils dorment et nous veillons », croit savoir Buffon des animaux. Pendant ces six mois, c'était toi le patient et cependant tu as veillé sur moi.

★

Enfin le cheval a pu manger le soleil, il a regagné l'écurie de bois, et tous les matins, depuis ma baignoire, je vois sa tête en goûter les rayons par la fenêtre.

En me retrouvant sur son dos, je mesure à quel point nous ne sommes plus les mêmes. Notre relation s'est transfigurée ; reconnaissants l'un envers l'autre, nous avançons plus sereins. Une complicité secrète est née, une équitation nouvelle va prendre forme dans le respect des soupirs, et le filmeur sera là pour en traquer les preuves.

Comme Don Quichotte à Barcelone,
qui découvre dans l'imprimerie
le récit de sa propre histoire sur le papier,
il me faudra être à la hauteur
des livres et des poèmes
dont je suis le pré-texte.

LE TINTORET

Volupté de la chute

Il y a toutes sortes de chutes de cheval : le soleil, le panache, la culbute, le trébuchement, le retourné, la glissade. Violentes ou drôles, dramatiques ou bénignes, elles sont la hantise de tout cavalier. J'en ai connu sur les champs de course, à l'entraînement, sur des poulains au débourrage ou des chevaux embarqués. Sur l'herbe, le sable, le macadam et même le toit d'une voiture, elles m'ont laissé des cicatrices, mais n'ont fait que renforcer mon désir d'enfourcher mon rêve.

Kō Murobushi, l'homme au dos de feu, adepte du *butô*, est un maître de la chute. Sur le dos ou de face, il la pratique sans les mains, avec une maîtrise totale de l'abandon de soi. Il m'impressionne et m'inspire pour *Le Centaure et l'animal.* Sur scène, je vais lui donner la réplique. Avec mon cheval, nous apprendrons l'art et la manière de choir comme on s'envole, en s'allégeant de ses appréhensions.

★

Il est arrivé au printemps, un peu sur l'œil. Lusitanien de race, son passeport nous informe qu'il est né au Brésil. Nous avons vite sympathisé. Cheval de cascade pour le cinéma, il avait dû apprendre à se plier au diktat sans concession de ses maîtres. D'un abord méfiant, il découvre la prévenance et la délicatesse – lorsque son cœur s'ouvrira, il deviendra fiable. Sa locomotion est plaisante, il a un rapport un peu rustre à la selle. Sa robe gris pommelé par petites touches blanchira comme le plumage d'une oie cendrée. Son poil dru et son absence de marque indiquent qu'il est d'origine modeste, mais je vois bien dans son regard qu'il veut convaincre à tout prix.

Je le nomme Le Tintoret.

⋆

Il est toujours émouvant d'être le témoin d'une transformation latente des lois de la nature. Pendant des mois, j'ai écouté les battements de son cœur fermé à toute confidence. Et, peu à peu, comme une fleur qui éclot, délivré par les vertus de l'expiration, son corps s'est abandonné au mien. Ce fut un consentement raisonné, sans contrainte ni résistance, jusqu'à parvenir à décomposer le mouvement de sa chute et en faire un affalement contrôlé. Se laisser choir sans résister, se soumettre à la pesanteur. Ainsi avons-nous appris à tomber tous les deux, comme on tombe amoureux : avec plaisir.

⋆

Une tête à la main, dont je rongeais le crâne, j'ai franchi les marches ascendantes d'une tour élevée. Je suis parvenu, les jambes lasses, sur la plate-forme vertigineuse. J'ai regardé la campagne, la mer ; j'ai regardé le soleil, le firmament ; repoussant du pied le granit qui ne recula pas, j'ai défié la mort et la vengeance divine par une huée suprême, et me suis précipité, comme un pavé, dans la bouche de l'espace[1].

Sur la scène du palais de Chaillot, Le Tintoret et moi aspirons au deuxième *Chant de Maldoror*. Immobiles, nous ne pouvons retenir notre souffle plus longtemps. Dans les lumières pâles, nous tombons avec la lenteur majestueuse d'un vaisseau qui sombre. Il s'échappe de ses flancs un long soupir universel : celui de l'abandon de soi et des forces humaines qui le gouvernent. Confiants, nous invoquons l'espace, dans un geste gracieux : de cette chute sans fin nous avons fait un voyage. Et c'est le sol, comme une mer sans houle, qui vient à nous déjà. Comment se relever après avoir éprouvé tant de volupté ?

Sur la scène, la nuit nous éteint et je peux voir à nouveau.

1. Lautréamont, *Les Chants de Maldoror*, chant II.

Mes chevaux m'ont fait connaître des hommes,
et ils m'ont éloigné d'eux.

LES CRIOLLOS PIE NOIR

Les porteurs de rêves

— Allô… Bartabas ?

— Oui.

— Je suis à Algésiras, sur le port. Le bateau vient d'arriver d'Argentine… C'est un truc incroyable !

— Quoi ?

— Une *troupije* de vingt criollos, tous pie noir avec la tête trempée de blanc !

— …

— On peut les acheter juste au-dessus du prix de la viande.

— …

— Ça t'intéresse ?

— Oui !

À cette étape du voyage, l'aventure peut encore se jouer au hasard, sur un coup de dés, un coup de téléphone. Zingaro se décline au féminin, c'est une mère aimante et généreuse, elle accueille les orphelins en son sein, sans regarder à la dépense. C'est ainsi qu'au bout du fil la tribu compta vingt nouvelles âmes.

Pour nous rejoindre, ils durent encore traverser le pays des arènes et prirent pour noms d'artistes ceux des martyrs de la tauromachie.

Avec leurs cousins palomino, ils furent trente-sept criollos embarqués dans le tourbillon de *Battuta*. Attelés, montés, debout au débotté, voltigeant et ruant dans l'élan, épousant aux quatre temps du galop le tempo hystérique des cuivres et des cordes de Transylvanie. *Battuta !* Quatre années furieuses et conquérantes. Istanbul, Moscou, Hong Kong, Tokyo… Presque un tour du monde. Mais ces dieux de l'Olympe et du *ruedo*, où que fût notre halte, vécurent jour et nuit libres de se côtoyer dans une vaste stabulation, et ainsi préservèrent une vie sociale et secrète.

Avant que le coq chante et que l'aube se pointe, il m'arrivait de rejoindre en cachette ce troupeau d'anges aux ailes repliées, rêvant sans trouble, les paupières et les lèvres mi-closes.

*

CHICUELO : Regarde… C'est lui qui vient dans la nuit.
JOSELITO : Où ça ?
CHICUELO : Là-bas, près de l'abreuvoir.
NIMEÑO : Il nous observe.
EL SORO : Mais non, c'est nous qui l'observons.
EL CORDOBÉS : Laissez-le tranquille !
JOSELITO : Je ne le vois plus.
MANZANARES : Où est-il ?
NIMEÑO : Poussez-vous ! Il est dans le coin là-bas.
EL VITI : Qu'est-ce qu'il fait ?
NIMEÑO : Il est en train de pisser.
EL VITI : Alors c'est bien lui !
EL GALLO : Calmez-vous. J'aimerais bien dormir.
EL SORO : Tu fais que dormir !
EL VITI : Il a disparu.
CHICUELO : On dirait qu'il se cache.

BOMBITA : Il est tout petit.
BELMONTE : Tu vois bien qu'il est accroupi !
CAGANCHO : Il s'est mis en boule contre le mur.
ARRUZA : Il se tient toujours la tête.
CHAMACO : Il la cache entre ses mains.
ANTOÑETE : Il a peut-être des carottes, je vais le lécher.
ESPARTACO : Laissez-le.
FRASCUELO : Il est silencieux.
CHAMACO : C'est qu'il revient à nous.
ANTOÑETE : Si je le lèche, tu crois qu'il va me donner une carotte ?
DOMINGUÍN : Tu penses vraiment qu'à bouffer !
ANTOÑETE : Ben une carotte, ça mange pas de pain !
BELMONTE : Regardez. Il est tout replié sur lui-même.
EL VITI : Il n'arrive pas à dormir.
BOMBITA : Ben oui, il est insomniaque.
EL CORDOBÉS : Arrête de lui renifler le crâne, ça le dérange.
NIMEÑO : Tu vois bien qu'il est tranquille.
BELMONTE : Laisse-le croire qu'il est des nôtres.
DOMINGUÍN : Regardez. Il a mis sa capuche.
CHAMACO : Il est préoccupé.
ARRUZA : C'est toujours comme ça quand il prépare une création !
JOSELITO : Où est-il ? Je voudrais lui parler.
MANOLETE : Laissez-le.
CHICUELO : Il est parti ?
PAQUIRRI : Oui, je l'ai accompagné jusqu'à la porte. Il avait l'air soucieux.
MANOLETE : C'est qu'il nous prépare quelque chose.
JOSELITO : Tu crois qu'on sera du prochain spectacle ?

*

Ils ont tant donné. Tout donné. Ils se sont donnés. Après l'éclat de *Battuta*, ils furent les ombres de *Darshan*, apparaissant et s'évanouissant au gré des rêves et des cauchemars de bipèdes énigmatiques. Puis vint *Calacas* : les chevaux psychopompes aux noms de matadors y portaient la mort sur leur dos. Les cavaliers n'étaient plus que des squelettes qui s'agitaient et faisaient sonner leurs os comme des *chinchineros*. Et ce fut au tour des anges de descendre de la coupole pour les chevaucher avec la grâce d'une *Élégie*. Enfin, *Ex Anima* les célébra dans la justesse de leur nudité. Durant quinze années, ils furent les anonymes, les porteurs de rêves, la chair et le sang de notre tribu de centaures.

Pour défendre son rêve,
les chevaux et les hommes qui l'habitent,
il faut vivre mentalement
en état de guerre perpétuelle.

LE CHEVAL DU GIAOUR

Rébellion

Animal émotif, je peine à contrôler mes sens et j'ai parfois du mal avec la loi des hommes. Face à l'injustice, je me cabre et rue mon dégoût avec fureur. Puis, gagné par le remords, je me replie tremblant dans mon antre pour le retrouver. Je m'épanche et il m'entend sans s'apitoyer. L'extrémité de son encolure rouée vers son flanc, il semble me jeter un œil torve, en fouettant de la queue. Quant à son cavalier, son regard est glaçant. Il lève le bras et de son poing menace. Ils sont sur une colline, et tournent le dos à la cité des hommes.

Le Giaour est un héros révolté, marginal et maudit. Comme lui, je suis à cheval car je ne peux me soumettre à d'autres lois. Discret présent d'un homme qui me reconnaît, la gravure encadrée au-dessus de ma table est signée Géricault.

Dès potron-minet,
en attendant le soleil,
j'ai écouté les chevaux.
J'appréhende maintenant
d'avoir à parler aux hommes.

SOUTINE

Soupir

Il en est des chevaux comme des maîtres, ils révèlent ce que vous cherchez sans savoir.

Soutine est un quarter sombre noir. Sa tête angulaire et ses yeux de corbeau inspirent l'effroi des nuits sans lune. Il est léger pour sa race. Il paraît serein, mais au fond c'est un cheval timoré. Il enfouit son angoisse sous un tapis de servitude. Peut-être ce qu'il a vécu en amont est-il à l'origine des ulcères qui le font tiquer sur sa mangeoire.

Pour le comprendre, il m'a fallu aller jusqu'au plus profond de lui-même. Sans aucun contact avec la bouche, nous avons commencé au pas, ralenti l'allure jusqu'à l'infime impulsion nécessaire au mouvement. Peu à peu, l'engagement des postérieurs a fait monter son garrot comme la sève dans le tronc, l'encolure toujours en extension, roseau doucement ployé, le bout du nez à l'affût du sol. Nous avons appris à nous mouvoir ainsi aux trois allures, en arrière et en spinant, à aller où bon nous semble, guidés par un accord tactile.

Mais pour parvenir à une expression libérée de toute pesanteur, condition nécessaire pour apparaître avec naturel dans l'espace confiné des scènes de théâtre, il nous fallait interroger le souffle qui anime nos entrailles.

C'est à l'arrêt, figés dans l'immobilité comme le plongeur au bord de la falaise, les oreilles tournées vers la brise du large, que nous l'avons attendu. Longtemps d'abord. Ce que j'attends, c'est l'échange indicible, celui d'avant la parole. C'est une inspiration, presque inaudible, elle précède une large expiration. Un soupir. Ce qu'il veut dire est infini ; il peut être court, soulagé ou bien ample, libérateur, expulsif. C'est une prière silencieuse, une résignation, une invitation à poursuivre. Alors, et alors seulement, nous pouvons nous porter en avant et continuer à explorer l'espace. Chaque fois qu'apparaît une contraction, une incompréhension, nous renouvelons l'expérience. Soutine apprend à apprendre, à écouter son corps, à assimiler et à mémoriser les mouvements de son être, et exprimer ainsi son consentement.

Avec lui j'ai pénétré un monde nouveau. Désormais je tendrai à d'autres cette oreille plus humaine.

*

Liturgie équestre. Au cœur de l'abbatiale Saint-Ouen, nous prêchons en tournoyant, enrobés de soie noire. Son spin creuse un sillon profond dans l'âtre sombre. Joseph Delteil donne la parole à François d'Assise, des corbeaux anamnestiques croassent et disparaissent dans la nef. Soutine m'emporte au galop sur la grève, son encolure va droite et libre, sans mors ni enrênement. Je chevauche un cormoran aux ailes paresseuses.

*

En ce temps-là, Soutine hante aussi mes nuits.

C'est un rêve très précis. Un rêve dont on sort indemne et que l'on se remémore sans douleur.

À Aubervilliers, dans la salle au plancher fragile, je m'étire sous les croupes de Géricault, au milieu de visages familiers. Une fois prêt, je m'élance dans une course lente. J'inspire en levant les bras, j'expire, m'allège, et par un simple appel sur une jambe, je m'élève et m'envole. Cela n'a rien d'extraordinaire et, d'ailleurs, personne n'y prête attention. Je tutoie les murs et le plafond, me relançant avec de légers mouvements de bras, mais c'est surtout l'expiration qui me propulse en altitude. Je plane ainsi sans peur ni parade. Je vais détaché, comme une oie blanche.

*

Golgota. De Londres à Paris, de Rome à Santiago du Chili, ton galop relie ciel et terre et je glisse dans l'espace. Nous allons de concert – derrière ce *nous* résonne une harmonie parfaite. Je n'attends pas de réponse, car il n'y a plus de question entre nous. Tu traces le chemin et mes bras s'ouvrent grand. Je m'offre à la lumière, je ne m'appartiens plus.

Jamais je n'ai ressenti jusqu'alors cette délégation de confiance. C'est toi qui sais, je sais que tu sais, sur toi enfin je m'abandonne. J'entends les effluves mystiques de Tomás Luis de Victoria, qui surgissent comme l'unique voie possible vers le silence. Ce qui en moi est cheval est tout entier dans ce soupir.

Les chevaux sont carnivores.
Ils ont dévoré ma vie,
et tout y est passé.

HORIZONTE

L'adieu

La musette de pansage sous le bras, je m'approche de son box. Horizonte me fixe de ses grands yeux noirs. Il a trente ans et son regard n'a pas changé. Le menton appuyé sur le rebord de la porte, le bout de sa langue pincé entre les dents, il se gargarise pendant de longues minutes avec l'eau qu'il a gardée dans sa bouche. Il prend plaisir à prolonger ce moment en écoutant le sifflement de l'eau qui circule entre ses molaires. J'entre. Il manifeste son étonnement en me voyant entamer son pansage, tâche habituellement dévolue à sa groom.

Elles furent nombreuses, ces jeunes filles aux gestes prévenants, à se succéder à son chevet, et c'est avec tendresse que les dernières le surnomment Papi. Mais ce matin, c'est moi qui l'étrille avec respect, inspectant en même temps la cartographie de son corps. Ses pommelures s'en sont allées, et la cendre sur son visage ; sa robe est désormais immaculée. Son dos est ensellé mais sa croupe a gardé un peu de sa rondeur. Un fin sillon creuse son chemin le long de sa cuisse jusqu'à la pointe de sa hanche. Sa crinière rasée en porc-épic surligne le galbe de son encolure d'entier. Papi est un vieux sage au cœur vert.

Il est émoustillé car il a entendu tôt dans la nuit le camion se garer devant le théâtre, signe annonciateur d'un départ en tournée. Il a toujours adoré voyager. À parcourir le monde, sa foi ne s'est jamais épuisée, au contraire chaque sortie fut pour lui une cure de jouvence. Pendant un quart de siècle, il aura été de toutes les aventures.

Une fois harnaché, nous descendons en main jusque dans les douves. Dans la carrière, à la lueur de l'aube, j'essaie d'avoir le cœur gracieux en me mettant en selle. Avec la précaution d'un souffleur de verre, j'éveille son corps de cristal. Assouplissement au pas, mobilisation des épaules et des hanches, incurvation, cession, épaule en dedans. Le jeu de ses articulations s'apparente à une mécanique céleste, les délier une à une requiert savoir et ordonnance.

Peu à peu le jour s'affirme, du haut du rempart un oiseau noir s'élance, puis un autre à sa poursuite. Pour prendre leur envol nul besoin d'étirements, pensé-je, l'action est leur repos. On entend la sirène d'une ambulance sur l'avenue Jean-Jaurès. C'est l'automne, saison propice à la mélancolie.

Je lui propose une petite session de trot cadencé, il se déplie avec prudence.

Durant vingt-cinq années à le chevaucher presque quotidiennement, je l'ai senti sous moi fleurir, aboutir, s'unifier, s'apaiser, mais je ne l'ai pas vu vieillir. La mutation silencieuse s'est faite en deçà de nous-mêmes, progressive, fluide, sans à-coups ni drame ; jamais il n'a été boiteux ni malade.

Bien sûr, comme un danseur étoile sur le déclin, son scintillement est désormais de courte durée ; j'ai dû lui aménager des solos à sa mesure, et peut-être aussi à celle de mon propre corps en métamorphose.

*

Sur la scène de *Golgota*, pour sa dernière apparition publique, il s'est présenté en vieux sage vertueux, resté fidèle à lui-même. Son passage fut si doux et son piaffer si retenu, comme un chuchotement, que le théâtre s'est transformé en confessionnal.

*

Tu n'es plus tout à fait un cheval, et grâce à toi je ne suis plus tout à fait un homme.

Avec les années nous nous sommes imprégnés, il y a du yin dans le yang et du yang dans le yin. Comme un miroir, tu me renvoies ce que je suis maintenant. J'ai vieilli, les raideurs et les rondeurs ont apparu, mais en s'érodant mon corps s'est accordé, je ne souffre plus du dos.

Cette transformation partagée, ce vieillissement conjoint m'a révélé à moi-même, plus que tous nos exploits voyageurs.

Mais le temps pour un cheval ne s'égrène pas sur la même échelle que la nôtre : un poulain de trois ans est un ado de seize, un cheval de sept ans, un homme de trente, alors qu'un cheval de trente ans est un vieillard de quatre-vingt-dix ans. Papi est un véritable yogi, et je mesure le privilège d'avoir reçu son enseignement.

Il ronronne. Juste quelques foulées de galop à chaque main et nous sommes prêts pour le chant d'adieu. Sur un effet d'ensemble nous nous rassemblons et, le mental libre et le corps sans tensions, nous entrons en piaffer. L'exercice nous dirige, nous ne cherchons rien que son accomplissement ; dépouillés de tout paraître, nous sommes une dernière fois. Je reste au corps-à-corps mais mon esprit se détache et s'évapore dans le souvenir.

*

Les constellations habillaient la nuit d'été sur le théâtre antique de Fourvière. Inspiré par l'*andante* du *Concerto en si mineur* de Bach qui s'échappait du piano d'Alexandre Tharaud, Horizonte entamait sa mélopée silencieuse. Un piaffer d'une tendresse infinie. Alors qu'il semblait ailleurs, perdu dans sa solitude, un papillon vint se poser sur mon épaule. Je me souviens d'avoir partagé avec lui la jouissance d'être bercé par les vagues de ce piaffer de légende.

*

Nous voici ce matin d'automne au crépuscule de notre histoire. Sans doute le pouvoir de se remémorer reste-t-il l'apanage de l'être humain, mais en voyant le cheval s'accomplir dans cet air avec une telle maîtrise de ses forces déclinantes, je peux affirmer qu'il s'est élevé hors de lui, loin de sa condition animale.

J'arrête la mélodie avant qu'une fausse note la trahisse et, comme je l'ai toujours fait, laisse mon partenaire avec l'envie de donner encore. Comment un seul air peut-il contenir ainsi toute une vie d'amour et d'accomplissement ? Le cœur plein, je mets pied à terre. Nous remontons à l'écurie, je sais que jamais plus je ne ressusciterai ce bonheur partagé.

Plus tard dans la matinée, depuis les douves, monté sur Le Caravage, j'écoute cogner les pas d'Horizonte sur le pont du camion. Puis le moteur qui s'éloigne. Puis plus rien.

C'est fini. Avec les chevaux, on n'échange pas de correspondance.

Croire, vouloir, rêver.
Les cloches ont trop sonné.
Le carillon est fatigué.

Quand cela finira-t-il,
quand rentrerai-je à la maison ?
C'est pour ne pas avoir à répondre à cette question
que je n'ai jamais eu de maison.

LE CARAVAGE

Lever de soleil

À l'orée du bois, dans un champ plein de nuit et de brouillard, avancent des ombres déformées. Ceux-là ont laissé leur voiture sur la route, là-bas dans la forêt, d'autres ont dormi dans leur camion. Ils surgissent comme les morts-vivants du Chemin des Dames et viennent s'asseoir silencieux entre les pierres tombées de l'abbaye de Vauclair. Ils ont traversé l'automne et l'aube pour écouter un homme et un cheval qui entrent en prière. L'homme cagoulé n'a plus de visage. Il est tout entier l'animal, éternellement reconnaissant, car il sait bien que s'il tient debout, c'est grâce à lui.

*

D'autres, bien avant le crépuscule, ont pris la mer toute noire jusqu'à l'île d'Aix. En convoi muet, ils ont suivi le chemin de terre, longé la côte vermoulue et mouillé leurs yeux dans les embruns. Arrivés sur le promontoire qui surplombe l'océan, ils ont découvert hagards, révélés par l'éclat d'un phare balayant les lambeaux de brume, ce cheval et cet homme qui vont les yeux fermés, enluminés par la bruine.

Ces deux-là vont par eux-mêmes, le cavalier est à l'écoute, il ne veut rien que le cheval ne puisse.

Voyez comme ils se parlent, et comme l'un et l'autre ne cessent d'acquiescer.

⋆

Il y eut d'autres matins du monde.

Ici la nuit d'été dégage une odeur aphrodisiaque ; l'un derrière l'autre, ils ont gravi le seul chemin possible, guidés par la mémoire des pierres et celle des Idrisides. Accrochée sur l'échine de la falaise, une carrière de sable roux surplombe la médina de Fès. Autour d'eux, tous sont assis en cercle et goûtent l'humble méditation suggérée par ce spectacle. Plus haut, la lune s'attarde pour assister à l'éclosion de l'être hybride.

L'homme transparent a renoncé à séduire et ne veut plus s'imposer. Il écoute et questionne en silence, laisse le cheval choisir ses mots pour dire la prière. Aux premières lueurs du jour, il entend aussi le cantique des oiseaux.

⋆

Ceux-là sont entrés par la porte du temple de l'autre côté de la terre. Guidés par des fumerolles, ils ont traversé la bambouseraie, longé le jardin de mousse sans le voir, traversé le fleuve Hozu sur un petit pont de bois rouge. Ils se sont assis, alignés sur les marches au bout du jardin zen. Dans l'encre de la nuit, ils croient voir des roches sombres émerger de la mer de lait aux vagues concentriques. En silence et sans ombre, nous avançons sur les pointes. La poudre d'or de ta robe se devine dans l'aube naissante. Entre les récifs je navigue dans le labyrinthe de ton corps. Peu à peu nous changeons de texture, de couleur et d'allure. Nous forniquons secrètement devant une assemblée de voyeurs incrédules. Une feuille d'érable s'échoue et fait saigner le sable ; elle renvoie au bandeau de ciel rouge qui précède le jour.

À distance des tumultes de la vie, dans l'intimité de notre union, je ressens l'impudeur de notre présence en ce lieu. Elle ne peut se refléter à la clarté du soleil. Il va paraître et déjà je m'efface, laissant Le Caravage debout, seul et nu. À l'aplomb de son ombre, l'espace d'un regret, je crois voir Pantruche.

Entre le cheval perlé de sueur et le sable, c'est à présent une histoire de peau. Il s'y plonge, s'y roule, s'y complaît, s'ébroue pour s'assurer que désormais sur son dos personne ne règne plus.

Il sera dit que Le Caravage a laissé son empreinte sur les lieux et dans les cœurs de ceux qui, aux quatre coins du monde, l'ont vu naître avec le soleil.

Le Caravage et moi avons trop vécu pour ne plus oublier.

LE CARAVAGE

Entretiens silencieux

« Le pas est la mère de toutes les allures » ; et le silence, l'air de ceux qui veulent apprendre. Ton chant résonne de l'oreille au sabot, tout ton être est une symphonie que j'ai appris à écouter.

Ayant toujours travaillé sans miroir, j'ai pris pour habitude d'interroger ton ombre, et toi de la suivre. Toutes ces heures passées à se connaître, se reconnaître, s'assembler, se rassembler pour sentir parfois l'espace d'un instant le divin nous traverser l'échine. C'est donc cela une vie à cheval, quelques secondes de bonheur partagé ?

Tu auras bientôt vingt-quatre ans, nous sommes de vieux confidents, et durant nos entretiens silencieux je laisse revivre en moi mes amours disparues. Mon esprit s'évade dans la lumière du petit matin, je contemple le lierre cramponné à la pierre, comme une coulée de lave qui pleure sur les remparts. Et puis cette pie, étrangement immobile et absente, qui nous regarde passer, perchée sur la barrière. Me vient l'envie de m'échapper de toi, d'être dans l'inaction – la vacuité.

*

Le petit Marty, neuf ans, s'est caché dans un coin de la tribune de l'étroit manège Chiappini. Il observe fasciné le vieil homme au chapeau, qui, en silence, instruit son cheval entre deux reprises. L'homme sait bien que l'enfant l'observe, mais ne dit rien, ne lui adresse pas même un regard, concentré qu'il est sur sa bête.

Bientôt ils vont débarquer en fanfare, ceux qui font *du* cheval comme on fait du ski ou du tennis. Avec abnégation, il leur servira la leçon, d'une voix cassée mais jamais cassante qui met au garde-à-vous chevaux et cavaliers.

Les heures se succéderont et toujours au pas, sur une piste intérieure, dans les interstices, il continuera l'air de rien de travailler son cheval.

⋆

Être attentif à ce qui se joue sous mes yeux entre un tel homme et son cheval, tenter de comprendre le message émanant du silence, fut pour l'enfant que j'étais, je le comprends maintenant, l'acte fondateur qui allait déterminer mon rapport à l'animal. J'ai découvert là que l'on pouvait parler sans mots, et même, que la grandeur de l'art consistant à dresser un cheval résidait dans cette communion non dite par la parole.

Un jour, bien plus tard, l'homme au chapeau, qui répondait au nom de monsieur Paul Poursin de Longchamp, me confia : « Le bon dresseur est celui qui sait doser ses demandes, il demande souvent et se contente de peu. L'idéal serait qu'il récompense quand le cheval a eu seulement l'intention d'exécuter le mouvement demandé, encourageant ainsi chez lui l'envie de faire. »

N'est-ce pas la sincérité de l'intention qui fait la grâce d'un corps en mouvement ?

NORD, SUD, EST, OUEST

Descendance

> Une action mue par la compassion, aussi petite soit-elle, nous suit comme l'ombre d'un oiseau qui vole dans le ciel, elle grandit et se multiplie.
>
> *Préceptes de vie du Dalaï-Lama*

Comme pour marquer l'histoire de leur empreinte, les déshérités de la vie eurent une descendance ! Après Nord, Sud, Est, Ouest, ce fut Pas de Deux, Arlequ'un, Quatre fois Quatre, Treize et Trois, puis Vivace, Andante, Allegro, Adagio, suivis de Kodály, Bartók, Ligeti et plus tard Shakespeare, Molière, Tchekhov et Voltaire... Depuis dix-huit ans, les générations se succèdent au gré des opus de *La Voie de l'écuyer.* Tous connaissent la joie de s'ébrouer en public avant de former, une fois dressés, le socle de l'Académie équestre de Versailles. Là-bas, écuyères et cremellos aux yeux d'azur jouent du sabot avec une dévotion joyeuse.

C'est le bercail des sens ; on y caresse l'encolure et la croupe, on renifle au galop, on goûte au passage, on devise au botte à botte, on s'allonge en extension, on baise les narines, on cure les soles et les fourchettes. Des rires s'échappent sous les arcades, et les chevaux hennissent et pètent en sautant comme des moutons.

*

Ce matin, subissant les morsures de l'hiver, quatre nouveaux venus du Portugal débarquent dans la cour de Saint-Cloud. Ils sont piteux, malingres et gourmeux, et pourtant accueillis à cœur ouvert par les écuyères de Versailles. Emplies de compassion, elles prendront sous leur aile cette nouvelle génération de poulains crème aux yeux bleus, et c'est dans le manège de bois blond, sous les lustres de cristal, qu'ils pourront, une fois apprêtés et joufflus, jouer leur partition.

Ils reprendront le rôle et ainsi va la vie.

Plus que toute autre créature, l'être humain est doté de la capacité de faire le bien. À l'ombre des bas-reliefs séculaires, ces jeunes amantes m'émeuvent ; avec le même entêtement, elles poursuivent le même rêve, celui de tenter, quel qu'en soit le prix, d'atteindre la grâce.

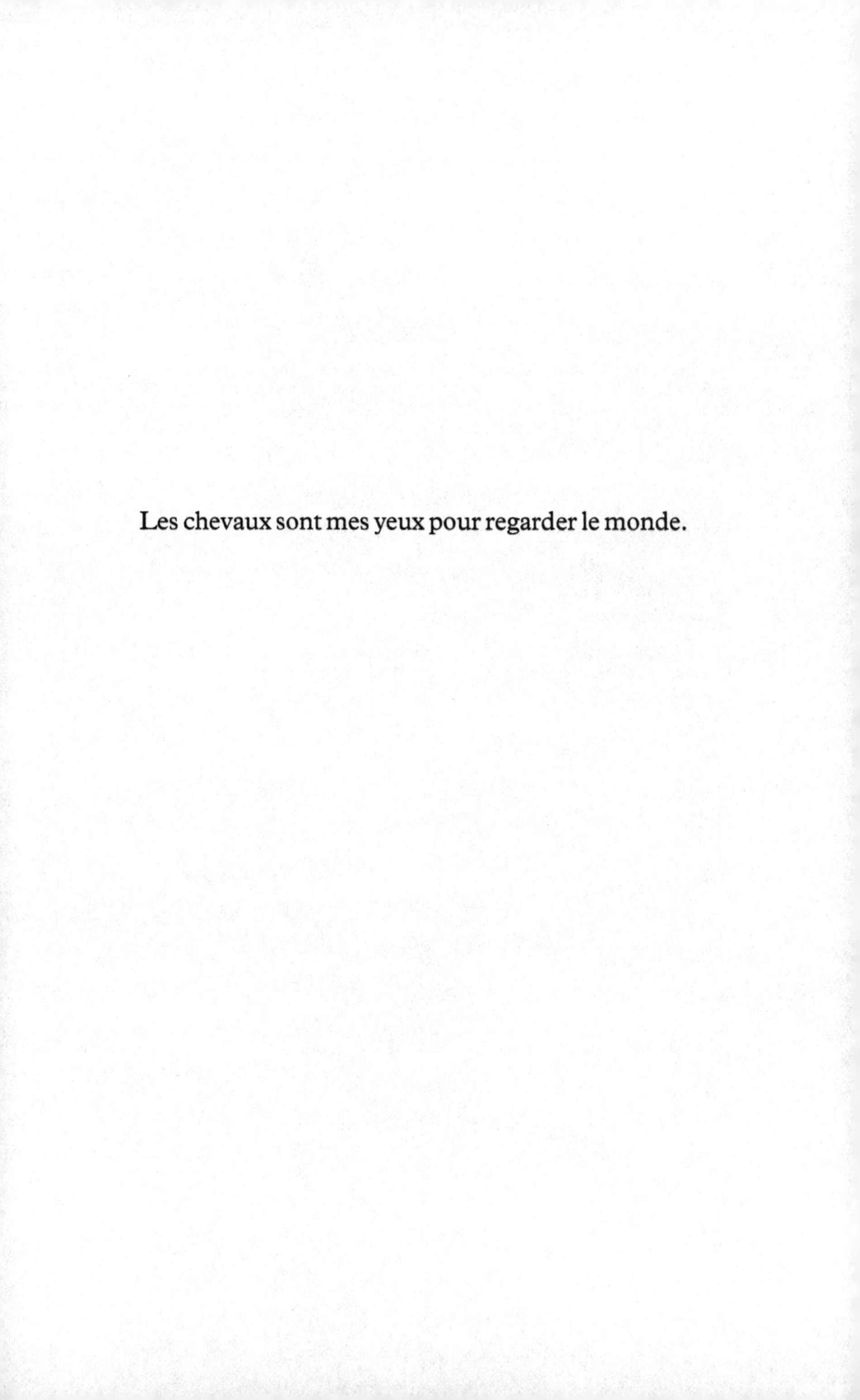

Les chevaux sont mes yeux pour regarder le monde.

TSAR

Cœur vaillant

Il en est des chevaux comme des coups de foudre, ils vous tombent dessus sans crier gare.

L'ex-écuyer en noir, resté vertueux, m'avait prévenu : « C'est un cheval pour toi ! » Et le voilà devant moi.

Immense, un monstre de cheval, un mètre quatre-vingt-quinze au garrot ! Couleur d'abîme, il défie la perspective. De loin, on dirait un pur-sang à l'ancienne, ceux des gravures anglaises ; de près, c'est une girafe noire et dégingandée. Il doit baisser la tête pour passer la porte de son box. De plus près encore, ses pieds sont larges comme des poêles à frire. Debout contre son épaule, je retrouve mes gestes d'enfant, même sur la pointe des pieds je ne peux voir l'horizon derrière son garrot. Il a de la force et impressionne par l'amplitude de ses réactions, ses écarts de gaieté sont toujours précédés d'un petit couinement en guise d'avertissement. Mais c'est un gentil, et la candeur de son regard fait exploser mon cœur endurci.

Me revoilà en émoi, monté sur ce géant aux yeux doux qui, une dernière fois peut-être, emportera mes fesses à l'aventure. Il a sept ans, j'en ai deux fois trente, une quinzaine d'années s'ouvre à nous – sans doute trop pour mon corps usagé.

Lui aussi est un infirme. Poulain, son épaule fut brisée lors d'un accident au pré. Avec le temps, les tendons et les muscles se sont reformés et la maintiennent en place, mais les cartilages sont exsangues. Sa robe d'ébène absorbe un peu le creux de l'épaule atrophiée. Au repos, pour se soulager, il avance sans cesse son antérieur droit, reportant tout son poids sur le gauche, dont le sabot s'est élargi et aplati. Cette infirmité nous lie d'une amitié fraternelle. Je me sens solidaire. Pour lui, je vais me rassembler, et avec délicatesse, travailler à corps perdu.

On gratte sa plume comme on « gratte un cheval », avec patience, obstination, en mettant son cœur sur la table. Mais y a-t-il une leçon dans ces pages vécues, une leçon qu'il puisse lire alors que je m'adresse à lui sans le secours des mots ?

Le cheval est le sujet que je mets devant le verbe pour agir à ma place. Au crépuscule de ma vie, je ne veux toujours pas renoncer à mes rêves, et il est encore là pour les exaucer.

Tu te nommes Tsar et garderas ton nom. Je rends la main et m'en vais avec ton pas.

Maintenant, simplement, je voudrais montrer un homme et un cheval qui, en silence, se cherchent, s'écoutent, s'apprennent.

HORIZONTE

Post mortem

Seul dans un grand paddock, entouré de ses congénères, non loin d'une rivière, il goûte au dernier rayon d'été qui ensoleille son poil et réchauffe son vieux corps raidi. Une légère brise charrie un air de lilas, de crottin et d'herbe jaune. Il n'a pas trop fondu. Sa crinière a poussé et s'affaisse de manière désordonnée de part et d'autre de son encolure. Sa robe de lait est mâtinée d'aplats brunâtres et d'ombres mauves. Je le trouve un peu ridicule avec son masque anti-mouches couleur zèbre. Il est placide ; comme les vieillards qui ont renoncé à plaire, il ne se soucie plus de son apparence.

Je m'avance vers lui, il s'écarte un peu. Je lui parle, ses oreilles restent fixes dans son bonnet. Je m'approche pour le toucher en prononçant son nom. Indifférent, il se tourne vers ailleurs, et d'un pas nonchalant s'éloigne en chassant d'un mouvement de queue les quelques mouches qui tentent de le suivre.

Horizonte est un souvenir, le cheval que j'ai connu n'est plus, celui-ci en est un autre, plus serein. Arrivé aux confins du voyage, il s'est amnésié de trente années d'aventure humaine, il a tombé les œillères et son horizon s'est ouvert à la terre, celle qui l'a vu naître. Le yogi est devenu philosophe, il a retrouvé sa condition animale et jamais il ne m'a semblé plus humain. C'est mieux ainsi, ai-je pensé, peut-être pour me consoler d'avoir perdu un confident.

Assis au volant, je le cherche une dernière fois du regard. Il est reparti au fond de son espace, là-bas il semble s'intéresser à sa voisine, une vieille jument crème aux yeux bleus.

« L'être, nous n'en avons pas d'autre représentation que le fait de vivre » (Nietzsche).

Après tant d'années de pratique
je ne sais plus grand-chose.
Tout mon savoir, les chevaux
l'ont emporté avec eux.

La caravane de mes nuits

Akim
Angelo
Antoñete
Apollon
Arès
Arruza
Asclépios
Athys
Babilée
Balanchine
Barock
Barychnikov
Belmonte
Bombita
Boris
Brosok
Cagancho
Calacas
Chamaco
Champagne

Chaparro
Chicuelo
Chronos
Conchita Cintrón
Conquête
Coppi
Credne
Dagda
Darri
Déméter
Diktor
Dionysos
Djinn
Dolaci
Dombay
Dominguín
Domino
Donor
Edwin
El Chulo
El Cordobés
El Gallo
El Soro
El Viti
Éros
Espartaco
Est
Famine
Farinelli
Farouck
Félix
Felouz

Frascuelo
Gamo
Ganesh
Gitan
Goya
Grain d'Or
Guerre
Guignolet
Hadès
Héphaïstos
Héra
Hermès
Heza Great Royal Kid
Hidalgo
Horizonte
Istanbul
Jazz
Joselito
Jupiter
Kid Label
L'Araignée
La mule et l'âne
Latoso
Lautrec
Le Caravage
Le Greco
Le Grincheux
Le Tintoret
Lifar
Lobero
Lucienne
Lucifer

Lug
Luz
Mac Oc
Manolete
Manor
Manzanares
Mars
Mazeppa
Meia Lua
Mercure
Micha Figa
Misère
Monoi
Mowgli
Narthex
Nijinsky
Nimeño
Nord
Noureev
Nuada
Ocliv
Ogme
Orlov
Ouest
Pan
Pantruche
Paquirri
Phare Ouest
Picasso
Pluton
Pollock
Posada

Poséidon
Priape
Quixote
Ramonero
Raspoutine
Redondo
Ryton Regent
Saturne
Sol d'Oa
Soulages
Soutine
Sud
Sultan
Swann
Terminator
Timour
Tsar
Tsigane
Van Gogh
Vénus
Verano
Vinaigre
Xérès
Zanzibar
Zeus
Zingaro
Zurbarán

Pour éteindre l'insomnie, je les épelle un à un. Longue caravane, sans tambours ni musique, ils défilent lentement dans ma nuit et m'emmènent vers le sommeil, enfin.

Composition : IGS-CP à L'Isle-d'Espagnac (16)
Achevé d'imprimer
par CPI Firmin-Didot
à Mesnil-sur-l'Estrée, en juillet 2020
Dépôt légal : juillet 2020
Premier dépôt légal : janvier 2020
Numéro d'imprimeur : 159416

ISBN : 978-2-07-287917-3/Imprimé en France

374451